A COZINHA VEGETARIANA DE

Astrid Pfeiffer

A COZINHA VEGETARIANA DE

Astrid Pfeiffer

RECEITAS VEGANAS PRÁTICAS, MODERNAS E NUTRITIVAS

O texto deste livro foi fixado conforme o acordo ortográfico vigente no Brasil desde 1º de janeiro de 2009.

Produção editorial: Editora Alaúde
Edição das receitas: Graça Couto
Revisão: Bia Nunes de Sousa
Fotos: Tomaz Vello
Produção das fotos: Beth Macedo e Vânia Araújo
Chef de cuisine e food styling: Reinhard Pfeiffer
Impressão e acabamento: Ipsis Gráfica e Editora S/A

1ª edição, março de 2011/ 2ª edição, outubro de 2011 (1 reimpressão)

Dados Internacionais de Catalogação na Publicação (CIP)
(Câmara Brasileira do Livro, SP , Brasil)

Pfeiffer, Astrid
A cozinha vegetariana de Astrid Pfeiffer. -- São Paulo : Alaúde Editorial, 2011.

ISBN 978-85-7881-072-6

1. Culinária vegetariana 2. Receitas I. Título.

11-02785 CDD-641.5636

Índices para catálogo sistemático:
1. Receitas vegetarianas : Culinária 641.5636

2014
Alaúde Editorial Ltda.
R. Hildebrando Thomaz de Carvalho, 60
CEP 04012-120 - Vila Mariana
São Paulo - SP
Telefax: (11) 5572-9474 / 5579-6757
alaude@alaude.com.br
www.alaude.com.br

A nutrição do vegetariano

O que é vegetarianismo

Uma pessoa pode se tornar vegetariana por diversas razões. Há quem não coma carne porque não gosta de seu sabor, porque sua crença religiosa não permite, porque acredita não ser ético tirar a vida dos animais, porque se preocupa com o impacto da criação do gado de corte sobre o meio ambiente ou porque se preocupa com a própria saúde.

O vegetariano não come nenhum tipo de carne, seja ela vermelha ou branca, e pode ser classificado em quatro categorias:

Ovolactovegetariano: come alimentos de origem vegetal, ovos, leite e derivados.

Ovovegetariano: come alimentos de origem vegetal e ovos.

Lactovegetariano: come alimentos de origem vegetal, leite e derivados.

Vegetariano estrito: não come produtos de origem animal.

Vegano: não usa roupas, calçados ou qualquer outro produto de origem animal. É vegetariano estrito.

De modo geral, a população brasileira come poucas frutas, legumes, verduras, oleaginosas, alimentos integrais e naturais. Já o consumo – fácil e rápido – de alimentos industrializados, refinados, ricos em açúcares, sódio e gorduras hidrogenadas é cada vez mais frequente, fator que tem levado ao desenvolvimento de muitas doenças e a carências nutricionais. A carne também é um alimento muito consumido pelos brasileiros, e sua ingestão é de três a cinco vezes mais alta que o recomendado pelo Ministério da Saúde.

A alimentação vegetariana é rica em carboidrato, proteína, fibras dietéticas, vitaminas, minerais, antioxidantes e fitoquímicos, além de apresentar baixo teor de gordura saturada e colesterol. Traz, portanto, muitos benefícios para a saúde, ajudando a controlar o colesterol, a glicemia, a pressão arterial, doenças cardiovasculares, diabetes, obesidade e alguns tipos de câncer. A American Dietetic Association atesta que "as dietas vegetarianas, se planejadas de forma apropriada, são saudáveis, adequadas nutricionalmente e promovem benefícios na prevenção e no tratamento de certas doenças".

O que levar em consideração

Os cincos maiores grupos alimentares (cereais integrais, leguminosas, hortaliças, frutas e oleaginosas) formam a base dos ingredientes característicos da dieta vegetariana estrita, que inclui ainda óleos vegetais. Como qualquer outro tipo de dieta, a alimentação vegetariana deve ser bem equilibrada para que não haja deficiências nutricionais, e alguns fatores precisam ser levados em conta na hora de planejá-la:

Proteína

Os alimentos vegetais ingeridos ao longo de um dia podem fornecer todos os aminoácidos essenciais, de modo que não é necessário fazer a complementação de proteínas numa única refeição.

Ferro

A absorção de ferro é determinada não só por fatores dietéticos, mas também pelo estado nutricional e pela quantidade do mineral presente no organismo, pois ele é mais bem absorvido por pessoas com carência específica.

O ferro dos vegetais é absorvido menos facilmente que o ferro dos animais. Por essa razão os vegetarianos devem consumir mais ferro do que as pessoas que comem carne. Muitos estudos, porém, mostram que as populações vegetarianas apresentam a mesma prevalência de anemia por falta de ferro que as populações onívoras (que consomem carne). Um vegetariano que ingira 50 miligramas ou mais de vitamina C na mesma refeição em que consome alimentos ricos em ferro duplica a absorção do mineral. Por outro lado, fontes de cálcio, ácido fítico (presente em diversos grãos e leguminosas) e polifenóis (café, chá preto, cacau, chá verde) inibem a absorção do mineral se ingeridos na mesma refeição. Para reduzir a quantidade de ácido fítico dos grãos e das leguminosas, basta deixá-los de molho de 8 a 12 horas e descartar a água.

Cálcio

A necessidade diária de cálcio é alta, por isso é preciso ter atenção com esse mineral. Além dos laticínios, há excelentes fontes vegetais de cálcio. A tabela abaixo mostra sua biodisponibilidade (a quantidade de mineral absorvida pelo organismo) em alguns alimentos.

Alimento	Biodisponibilidade (%)
Leite de vaca	32,1
Queijos	30
Tofu	31
Couve	58,8
Brócolis	61,3
Mostarda	40 a 60
Repolho	52,7
Alimentos fortificados	40 a 50
Feijões	15,6

Para completar a cota diária de cálcio recomenda-se ainda o consumo de leites vegetais (soja, avelã, arroz, quinoa) fortificados. Nas refeições ricas em cálcio, evite comer hortaliças como acelga, espinafre, beterraba (principalmente as folhas) e cacau, pois elas contêm um teor elevado de ácido oxálico, que dificulta a absorção do mineral.

Ômega-3

O ômega-3 é um lipídio essencial que nosso organismo não produz, por isso necessitamos de fontes externas. Ele deve ser ingerido em maior quantidade pelos vegetarianos, pois os vegetais o possuem numa forma que precisa ser transformada para surtir efeito. Com uma alimentação equilibrada, sem deficiências nutricionais, os vegetarianos ajudam o corpo na conversão para a forma ativa do ômega-3. O óleo e a semente de linhaça são boas fontes de ômega-3.

Vitamina B_{12}

Nenhum alimento de origem vegetal contém vitamina B_{12} em forma utilizável pelo organismo humano. No passado, acreditava-se que alimentos como espirulina (*Spirulina platensis*), algas marinhas, levedura de cerveja ou produtos fermentados à base de soja (como o missô) pudessem conter vitamina B_{12}, mas hoje se sabe que isso não é verdade. Os vegetarianos estritos só podem alcançar a ingestão apropriada de vitamina B_{12} com suplementação. O consumo ocasional de leite ou ovos não supre as necessidades da vitamina, portanto os ovolactovegetarianos também devem estar atentos. Cerca de 50 por cento dos vegetarianos têm carência de vitamina B_{12}. Entre os onívoros (aqueles que comem carne), esse número não é muito melhor: 40 por cento apresentam carência de vitamina B_{12}.

A tabela das páginas 12-13 apresenta as funções básicas de cada nutriente e suas principais fontes alimentares. É importante lembrar de sempre consultar um nutricionista para garantir a adequada combinação de alimentos e prevenir riscos à saúde por inadequação alimentar.

O que o vegetariano come

	Carnes	Ovos	Laticínios	Mel
Ovolactovegetariano	Não	Sim	Sim	Sim
Lactovegetariano	Não	Não	Sim	Sim
Ovovegetariano	Não	Sim	Não	Sim
Vegetariano estrito	Não	Não	Não	Não

Necessidade diária de ingestão de nutrientes

NUTRIENTE	HOMENS	MULHERES	FONTES ALIMENTARES
CALORIAS	Variável	Variável	
PROTEÍNA	0,8 g/kg (10-35% das calorias ingeridas)	0,8 g/kg (10-35% das calorias ingeridas)	Feijão, ervilha, lentilha, quinoa, castanhas
GORDURA	25-35% das calorias ingeridas	25-35% das calorias ingeridas	
Saturada, Colesterol	O menos possível	O menos possível	Laticínios, manteiga, coco, manteiga de cacau
Monoinsaturada	< 20%	< 20%	Óleos de girassol, canola e oliva, abacate, amendoir
Poli-insaturada	< 10%	< 10%	
Ômega-6	17 g (5-10%)	12 g (5-10%)	Óleos de milho, gergelim e canola
Ômega-3	1,6 g (0,6-1,2%)	1,1 g (0,6-1,2%)	Óleo e semente de linhaça, nozes
CARBOIDRATO	45-65% das calorias ingeridas	45-65% das calorias ingeridas	Açúcar, amido de milho, mel, farinhas, frutas
Fibra	38 g	25 g	Farelo de trigo, linhaça, frutas, verduras, gérmen de t
MINERAIS			
Cálcio	1.000 mg	1.000 mg	Leite de soja, queijos, tofu, semente de linhaça
Ferro	8 mg	18 mg	Soja em grão, amaranto cru, feijões vermelhos
Magnésio	420 mg	320 mg	Castanha-do-pará, soja em grão, aveia
Fósforo	700 mg	700 mg	Amaranto, aveia e quinoa, trigo-sarraceno
Potássio	4.700 mg	4.700 mg	Banana desidratada, feijão-preto, lentilha, melado
Sódio	1.500 mg	1.500 mg	Queijos parmesão e prato, margarina com sal
Zinco	11 mg	8 mg	Gérmen de trigo, shitake seco, lentilha, farelo de trigo
Cobre	0,9 mg	0,9 mg	Castanha-do-pará, avelã, castanha-de-caju, tahine
Manganês	2,3 mg	1,8 mg	Milho cozido, farelo de aveia, farinha de trigo integr
Selênio	55 mcg	55 mcg	Castanha-do-pará, pão integral, shitake seco
VITAMINAS			
C	90 mg	75 mg	Acerola, goiaba, melão, laranja, couve
B_1 (tiamina)	1,2 mg	1,1 mg	Semente de linhaça, pinhão seco, feijão-preto
B_2 (riboflavina)	1,3 mg	1,1 mg	Cogumelo seco, müesli, leite de soja, farelo de tri
B_3 (niacina)	16 mg	14 mg	Farelo de trigo, cogumelo seco, trigo em grão
B_5 (ácido pantotênico)	5 mg	5 mg	Semente de girassol torrada, leite de soja, ervilha
B_6 (piridoxina)	1,3 mg	1,3 mg	Pistache, nozes, grão-de-bico, amaranto
B_9 (ácido fólico)	400 mcg	400 mcg	Feijões, mostarda e beterraba cruas, semente de linh
B_{12} (cobalamina)	2,4 mcg	2,4 mcg	
E	15 mg	15 mg	Óleos de girassol, linhaça e canola, azeite de oliva
K	120 mcg	90 mcg	Acelga, couve, mostarda e agrião
Colina	550 mg	425 mg	Cogumelo seco, ovo cozido, grão-de-bico
Betacaroteno	2.500 mcg	2.500 mcg	Couve, batata-doce, cenoura, espinafre
Luteína e zeaxantina			Couve, espinafre, acelga, rúcula, abóbora

ESCRIÇÃO
alor energético dos alimentos.
ão moléculas essenciais para manter a estrutura e o funcionamento do corpo. Fundamental para os músculos e a produção de hormônios.
nportante para manter algumas estruturas corporais. Mantém a produção de energia quando falta alimento, poupando a perda de massa muscular.
É um tipo de gordura que tende a aumentar a taxa de colesterol no sangue e estimula a produção de placas de gordura que se acumulam nas artérias.
É um tipo de lipídio associado à prevenção de doenças cardiovasculares.
São lipídios que, de forma geral, são benéficos para a saúde. Seus principais representantes são o ômega-3 e o ômega-6
Como nosso corpo não o produz, devemos ingeri-lo. Em excesso tem efeito pró-inflamatório.
Como nosso corpo não o produz, devemos ingeri-lo. Está associado à redução dos níveis de inflamação e triglicérides. Pode ter efeito positivo em alguns tipos de arritmia.
incipal fonte energética do corpo. Fundamental para o funcionamento do cérebro.
Pertence ao grupo dos carboidratos, mas não é digerida. Fundamental para o bom funcionamento do intestino. Auxilia no controle da glicemia e do colesterol e promove a saciedade.
NERAIS
Importante para a formação óssea, a contração muscular e a coagulação do sangue.
Fundamental para a formação de células vermelhas e para o transporte de oxigênio pela hemoglobina. Necessário para a produção de energia.
Mantém os níveis de cálcio nos ossos e ajuda na motilidade intestinal.
Atua em conjunto com o cálcio no metabolismo ósseo e ajuda na produção de energia celular.
Atua em conjunto com o sódio. Importante para a condução do estímulo nervoso.
Importante para a condução do estímulo nervoso. Se ingerido em altas doses, pode aumentar a pressão arterial.
Importante para o sistema imunológico e a tireoide. Antioxidante.
Ajuda na fixação de ferro. Importante para a síntese do colágeno.
Antioxidante, essencial para a formação óssea e o metabolismo de carboidratos, aminoácidos e colesterol.
Antioxidante e importante para a tireoide. Pode haver intoxicação por consumo excessivo de alimentos ricos em selênio.
TAMINAS
Antioxidante, auxilia na absorção do ferro vegetal, importante para o sistema imunológico (defesa, cicatrização e reação alérgica).
Tem efeito antinevrítico e é antiberibérica. Auxilia os carboidratos a se transformarem em energia.
Ajuda a ativar as vitaminas B_6 e B_9.
mportante para a quebra da glicose, dos ácidos graxos e dos aminoácidos. Sua deficiência leva a alterações de pele, diarreia e alterações cognitivas.
Fundamental para ajudar a gerar energia no corpo. É uma vitamina antiestresse.
mportante para a formação de serotonina e células vermelhas e para a síntese de aminoácidos, lipídios, B_6 e B_9.
Fundamental para a maturação das hemácias e a formação de serotonina.
mportante para o sistema nervoso e a formação das células vermelhas. Produzida por bactérias. Não está presente no reino vegetal.
Antioxidante. Trabalha junto com a vitamina C.
Auxilia na coagulação sanguínea e é importante no metabolismo ósseo.
Mobiliza as gorduras do fígado. Transporta e metaboliza colesterol e lipídios.
Antioxidante, essencial para a visão noturna.
São carotenoides (da família do betacaroteno e da vitamina A). Protegem a pele e a retina contra os raios ultravioleta.

10 dicas para uma alimentação saudável

FAÇA AS REFEIÇÕES COM CALMA – O organismo precisa de tempo para processar os alimentos. Grande parte das enzimas digestivas (50 por cento) é secretada por estímulos sensoriais (visão, olfato, tato, paladar).

MASTIGUE BEM OS ALIMENTOS – A digestão se inicia na boca, com a trituração dos alimentos e a ação da saliva. O objetivo da mastigação é tornar o alimento pastoso para facilitar todo o processo digestivo. Quando há ansiedade, o controle da ingestão de alimentos é prejudicado, e por isso muitas vezes come-se mais que o necessário. Quando o alimento é bem mastigado, automaticamente controla-se a ansiedade e promove-se a saciedade fisiológica verdadeira. Então, não termine cada uma de suas refeições em menos de 20 minutos.

NÃO TOME LÍQUIDOS DURANTE AS REFEIÇÕES – O líquido atrapalha a mastigação e o processo digestivo. Procure ingerir líquidos 30 minutos antes ou 60 minutos após as refeições principais. No entanto, se a refeição estiver salgada, o ideal é consumi-la acompanhada de água.

COMA EM HORÁRIOS REGULARES – A rotina ajuda o organismo a manter um ritmo que garante estabilidade nutricional e hormonal.

ALIMENTE-SE A CADA 3 HORAS – O cérebro precisa de aporte constante de glicose (carboidrato). O suprimento irregular desse nutriente diminui o ânimo e leva à perda de massa muscular. Além disso, a ingestão de alimentos a cada 3 horas mantém sob controle a fome e a voracidade, e evita a ocorrência de episódios de compulsão alimentar.

CONSUMA ALIMENTOS INTEGRAIS – Eles contêm vários nutrientes que ficam na película do grão. Os alimentos integrais são excelentes para manter níveis adequados de glicemia (açúcar no sangue), têm fibras que servirão de alimento para as bactérias benéficas do intestino e ajudam a controlar o colesterol e a saciedade.

CONSUMA FRUTAS E HORTALIÇAS FRESCAS – Frutas, verduras e legumes são ótimas fontes de fibras, vitaminas e minerais. Eles contêm ainda fitoquímicos (polifenóis, carotenoides e flavonoides, entre outros), que são excelentes antioxidades (protegem as nossas células).

EVITE ALIMENTOS REFINADOS – Além de não conter mais a película natural onde fica armazenada a maioria dos nutrientes, os alimentos considerados brancos (pão, açúcar, trigo, arroz, etc.) passam por um processo químico chamado branqueamento, pelo qual se adicionam a eles diversas substâncias químicas potencialmente nocivas ao organismo. Os alimentos refinados não só não alimentam as bactérias boas do nosso intestino, como também favorecem o crescimento das bactérias patogênicas (maléficas), desequilibrando nossa flora intestinal.

CONSUMA LÍQUIDOS DURANTE O DIA – A ingestão de líquidos durante o dia mantém o organismo bem hidratado, ajudando-o a transportar os nutrientes necessários. O melhor método para verificar se o nível de hidratação está adequado é observar a cor da urina – ela deve ser amarela bem clara.

EVITE ALIMENTOS INDUSTRIALIZADOS, PROCESSADOS E EMBUTIDOS – Esses produtos contêm inúmeras substâncias químicas que não são reconhecidas pelo nosso organismo. O consumo excessivo desse tipo de alimento demanda trabalho do fígado para neutralizar corantes, conservantes e estabilizantes, e depois eliminá-los, muitas vezes com o auxílio dos rins. Além disso, certas substâncias com potencial efeito cancerígeno podem ser recebidas pela ingestão desses alimentos ou serem produzidas no processo de desintoxicação. Por fim, a ingestão de substâncias estranhas ao organismo pode comprometer o sistema imunológico e desencadear processos alérgicos.

Como usar este livro

Medidas

As receitas apresentam medidas caseiras (colher de sopa, xícara, etc.) para que se possam utilizar os utensílios domésticos para dosar os ingredientes e deixar o prato final o mais próximo possível da receita original. Como a capacidade dos utensílios de medição pode variar de uma marca para outra, as receitas também trazem a quantidade em gramas de cada ingrediente. Assim, para seguir fielmente a receita, basta utilizar as medidas em gramas – as balanças digitais são as melhores.

Modificação das receitas

Nada impede que as receitas sejam modificadas e adaptadas a alguma preferência pessoal de paladar. Elas já vêm com algumas sugestões de substituição de ingredientes. É preciso observar, porém, que duas pessoas podem obter resultados diferentes com uma mesma receita, e isso acontece pela interferência de diversos fatores, como a qualidade dos ingredientes utilizados, a alteração da quantidade dos insumos utilizados, o tipo e o tamanho do corte dos legumes, o tipo e o tamanho da panela, a intensidade da chama do fogão, etc.

Fracionamento das receitas

Todas as receitas trazem anotado o seu rendimento, e essa indicação serve apenas para dar uma ideia de quantas pessoas podem ser alimentadas com cada uma.

Valores nutricionais

Ao lado de cada receita há uma tabela com seu valor nutricional. A tabela de nutrientes das páginas 12-13 do livro apresenta a quantidade de nutrientes que deve ser consumida diariamente, assim como uma breve descrição de sua importância e de suas principais fontes.

Nutrientes em destaque

Os principais nutrientes de cada prato estão destacados no final da receita. Assim fica-se sabendo, por exemplo, que o Risoto de legumes com castanhas é rico em ferro, selênio, magnésio, fósforo, cobre, vitaminas B_1, B_3, B_5, B_6, C, K e betacaroteno. O cálculo foi efetuado com base na quantidade de nutrientes de que necessitamos e sua presença proporcional na receita. Parece complexo, mas não é. Veja por exemplo a receita de Homus, que contém 0,9 miligramas de ferro por porção. Uma mulher adulta precisa de 18 miligramas de ferro por dia. Diante dessa informação, parece muito baixo o teor de ferro da receita, mas esses 0,9 miligramas estão presentes em apenas 56,2 calorias. Isso quer dizer que, se uma mulher ingerisse 1.500 calorias em homus, ela consumiria 24 miligramas de ferro, valor muito superior ao que ela necessita. Por essa razão considera-se que o homus é rico em ferro.

Plano alimentar para 10 dias

O plano alimentar para 10 dias, no final do livro, foi elaborado exclusivamente com as receitas aqui contidas.

Evite estragos

Se você é distraído e queima todas as suas preparações, sugiro que adquira um relógio de cozinha, desses que funcionam também como despertador. Assim, após iniciar o cozimento, você pode programar o relógio para tocar na hora certa.

Coma do jeito que preferir

Se você come com os olhos, olhe para a foto. Se você come pensando em bem-estar, olhe para a lista de ingredientes. Se você come pensando nos nutrientes, olhe para a tabela de valores nutricionais.

Legenda da tabela de informação nutricional

kcal = quilocalorias
g = gramas
mg = miligramas
mcg = microgramas

Pastas clássicas – leves e saborosas – para servir como antepasto de uma refeição mais encorpada ou como uma opção refrescante e nutritiva para o lanche.

PATÊS

Homus

INGREDIENTES

1 xícara (chá) rasa de grão-de-bico seco (182 g)
2 colheres (sopa) cheias de tahine (28 g)
½ xícara (chá) da água do cozimento do grão-de-bico (100 ml)
1 colher (café) cheia de sal marinho (4 g)
suco de 1 limão médio (36 g)
½ dente de alho médio (2 g)

MODO DE PREPARO

1. Deixe o grão-de-bico de molho em bastante água por 10 horas. Escorra a água e acrescente mais 3 xícaras (chá) de água nova (são 3 xícaras de água para cada xícara de grão-de-bico).
2. Leve ao fogo médio e cozinhe na panela de pressão por 30 minutos (a contar do momento em que ela começa a apitar) ou até que fique bem macio.
3. Coe e deixe esfriar (reserve a água do cozimento).
4. À parte, junte o tahine com a água do cozimento, o sal, o suco do limão e o alho bem amassado, mexendo até que fique uma mistura homogênea.
5. Coloque o grão-de-bico escorrido no liquidificador e bata-o junto com a mistura de tahine até obter uma pasta.
6. Sirva esta pasta fria.

RENDIMENTO: 15 porções (colheres de sopa).

SUGESTÕES:
✓ Se sobrar água do cozimento do grão-de-bico, utilize-a em outras preparações, como para cozinhar outros grãos ou para fazer sopas.
✓ A água em que as leguminosas (grão-de-bico, feijão, lentilha) ficam de molho deve ser jogada fora por causa do ácido fítico, que inibe a absorção de alguns minerais.

Esta receita é rica em: proteína; ferro; cálcio; vitaminas B_9 (ácido fólico), B_5 e B_6.

INFORMAÇÃO NUTRICIONAL	TOTAL	PORÇÃO
CALORIAS (KCAL)	**842,5**	**56,2**
PROTEÍNA (G)	**39,8**	**2,7**
GORDURA TOTAL (G)	**26,1**	**1,7**
Saturada (g)	4,1	0,3
Monoinsaturada (g)	7,4	0,5
Poli-insaturada (g)	12,2	0,8
Ômega-6 (g)	11,9	0,8
Ômega-3 (g)	0	0
CARBOIDRATO (G)	**120,8**	**8,1**
Fibra (G)	34,6	2,3
MINERAIS		
Cálcio (mg)	324,3	21,6
Ferro (mg)	13,8	0,9
Magnésio (mg)	239,3	16
Fósforo (mg)	879,9	58,7
Potássio (mg)	1.766,4	117,8
Sódio (mg)	1.627,3	108,5
Zinco (mg)	6,9	0,5
Cobre (mg)	2,4	0,2
Manganês (mg)	4	0,3
Selênio (mcg)	15,4	1
VITAMINAS		
C (mg)	27	1,8
B_1 (mg)	0,3	0
B_2 (mg)	0	0
B_3 (mg)	5,1	0,3
B_5 (mg)	3,9	0,3
B_6 (mg)	1,8	0,1
B_9 (ácido fólico) (mcg)	1.045,2	69,7
E (mg)	1,8	0,1
K (mcg)	16,4	1,1
Colina (mg)	182,4	12,2
Betacaroteno (mcg)	85,2	5,7
Luteína e zeaxantina (mcg)	4,3	0,3

Babaganuj

INGREDIENTES

1 berinjela média (376 g)
2 colheres (sopa) cheias de tahine (28 g)
2 colheres (sopa) de água (20 g)
1 colher (café) cheia de sal marinho (4 g)
2½ colheres (sopa) de suco de limão (18 g)
½ dente de alho médio (2 g)

MODO DE PREPARO

1. Com o auxílio de um garfo, faça furos em toda a superfície da berinjela.
2. Coloque-a em uma assadeira e leve ao forno alto (230°C) preaquecido. Asse-a por cerca de 40 minutos ou até que esteja murcha (lembre-se de virá-la na metade do tempo).
3. À parte, junte o tahine com a água, o sal, o suco de limão e o alho bem amassado. Mexa até obter uma mistura homogênea.
4. Depois de assada a berinjela, corte-a ao meio e retire toda a polpa, inclusive as sementes (despreze a casca).
5. Bata-a no liquidificador, ou com o mixer, junto com o molho de tahine.
6. Sirva esta pasta fria.

RENDIMENTO: 12 porções (colheres de sopa).

SUGESTÃO:

✓ Para facilitar a retirada do suco do limão, role-o com a palma da mão, pressionando-o com firmeza, em uma superfície lisa (a pedra da pia, por exemplo) antes de cortá-lo.

Esta receita é rica em: fibra; magnésio; fósforo; potássio.

INFORMAÇÃO NUTRICIONAL	TOTAL	PORÇÃO
CALORIAS (KCAL)	**265**	**22,1**
PROTEÍNA (G)	**8,8**	**0,7**
GORDURA TOTAL (G)	**15,1**	**1,3**
Saturada (g)	2,2	0,2
Monoinsaturada (g)	5,6	0,5
Poli-insaturada (g)	6,7	0,6
Ômega-6 (g)	6,4	0,5
Ômega-3 (g)	0	0
CARBOIDRATO (G)	**30,7**	**2,6**
Fibra (g)	14,4	1,2
MINERAIS		
Cálcio (mg)	162,4	13,5
Ferro (mg)	2,7	0,2
Magnésio (mg)	81,2	6,8
Fósforo (mg)	304,9	25,4
Potássio (mg)	1.013,9	84,5
Sódio (mg)	1.590,7	132,6
Zinco (mg)	1,4	0,1
Cobre (mg)	0,6	0
Manganês (mg)	0,3	0
Selênio (mcg)	0,8	0,1
VITAMINAS		
C (mg)	17,7	1,5
B_1 (mg)	0,3	0
B_2 (mg)	0	0
B_3 (mg)	5,2	0,4
B_5 (mg)	0,3	0
B_6 (mg)	0	0
B_9 (ácido fólico) (mcg)	112,2	9,4
E (mg)	0	0
K (mcg)	15,1	1,3
Colina (mg)	35	2,9
Betacaroteno (mcg)	72	6
Luteína e zeaxantina (mcg)	2,3	0,2

Tomate seco com tofu

INGREDIENTES

4 tomates secos (70 g)
2 fatias grandes de tofu soft (300 g)
2 colheres (sopa) de suco de limão (16 g)
2 colheres (café) rasas de sal marinho (4 g)

MODO DE PREPARO

1. Pique os tomates secos e o tofu em pedaços grandes.
2. Coloque no liquidificador primeiro o suco de limão e o sal, depois os tomates e o tofu picados. Bata até obter uma pasta bem homogênea.

RENDIMENTO: 13 porções (colheres de sopa).

SUGESTÕES:

- ✓ Se você não encontrar tofu soft, use tofu normal.
- ✓ Para variar, em vez de tomate seco, utilize azeitonas pretas sem caroço ou alcaparras, com manjericão ou outras ervas a seu gosto.
- ✓ Se desejar, pode acrescentar missô, no lugar do sal, e pimenta líquida a gosto.
- ✓ Coloque os ingredientes líquidos no liquidificador antes dos sólidos, para que moam com mais facilidade.

Esta receita é rica em: proteína; cálcio; fósforo; potássio; manganês; luteína e zeaxantina.

INFORMAÇÃO NUTRICIONAL	TOTAL	PORÇÃO
CALORIAS (KCAL)	**484**	**37,2**
PROTEÍNA (G)	**41,4**	**3,2**
GORDURA TOTAL (G)	**20,4**	**1,6**
Saturada (g)	3,3	0,3
Monoinsaturada (g)	12,4	1
Poli-insaturada (g)	3,9	0,3
Ômega-6 (g)	0	0
Ômega-3 (g)	0	0
CARBOIDRATO (G)	**52**	**4**
Fibra (g)	10,3	0,8
MINERAIS		
Cálcio (mg)	618,1	47,5
Ferro (mg)	13,4	1
Magnésio (mg)	315,5	24,3
Fósforo (mg)	695,4	53,5
Potássio (mg)	3.160	243,1
Sódio (mg)	3.250,6	250
Zinco (mg)	4,6	0,4
Cobre (mg)	1,1	0,1
Manganês (mg)	4,5	0,3
Selênio (mcg)	43,4	3,3
VITAMINAS		
C (mg)	39,8	3,1
B_1 (mg)	0,4	0
B_2 (mg)	0,4	0
B_3 (mg)	7,2	0,6
B_5 (mg)	1,7	0,1
B_6 (mg)	0,3	0
B_9 (ácido fólico) (mcg)	107,2	8,2
E (mg)	0	0
K (mcg)	34,4	2,6
Colina (mg)	84,5	6,5
Betacaroteno (mcg)	419,7	32,3
Luteína e zeaxantina (mcg)	1.137	87,5

Cogumelos com ervas

INGREDIENTES

1 bandeja com cogumelos variados (260 g de cogumelos-de-paris, 100 g de cogumelos portobello e 56 g de cogumelos pleurotus)
1 colher (sopa) de azeite de oliva (10 g)
½ cebolinha-verde picada finamente (6 g)
1 talo médio de orégano fresco picado finamente (2 g)
1 talo pequeno de alecrim fresco picado finamente (2 g)
1 talo pequeno de salsa (só as folhas) picado finamente (2 g)
1 colher (café) rasa de sal marinho (2 g)

MODO DE PREPARO

1. Pique os três tipos de cogumelo em cubos bem miudinhos.
2. Leve ao fogo uma panela com o azeite. Coloque os cogumelos picados e deixe-os refogar ligeiramente. Quando estiverem começando a amaciar, acrescente as ervas. Refogue mais um pouco, até que os cogumelos estejam cozidos, mas ainda firmes.
3. Desligue o fogo, adicione o sal e misture.
4. Sirva este prato quente ou frio.

RENDIMENTO: 5 porções (colheres de sopa).

SUGESTÕES:

✓ Algumas gotas de suco de limão em cima da preparação acentuam ainda mais seu sabor.
✓ Esta pasta pode ser feita com outros tipos de cogumelo.
✓ Se preferir fazer um creme, na hora de refogar, deixe a panela tampada, para que os cogumelos soltem água. Separe metade do refogado de cogumelos e bata-o com a própria água do cozimento no liquidificador, ou com o mixer. Para finalizar, misture o restante dos cogumelos refogados.

Esta receita é rica em: proteína; fósforo; potássio; selênio; cobre; vitaminas B_2, B_3, B_5 e K.

INFORMAÇÃO NUTRICIONAL	TOTAL	PORÇÃO
CALORIAS (KCAL)	**202,2**	**40,4**
PROTEÍNA (G)	**12,4**	**2,5**
GORDURA TOTAL (G)	**11,9**	**2,4**
Saturada (g)	1,7	0,3
Monoinsaturada (g)	7,4	1,5
Poli-insaturada (g)	1,8	0,4
Ômega-6 (g)	1,1	0,2
Ômega-3 (g)	0,1	0
CARBOIDRATO (G)	**19,2**	**3,8**
Fibra (g)	7,1	1,4
MINERAIS		
Cálcio (mg)	79,6	15,9
Ferro (mg)	3,4	0,7
Magnésio (mg)	52,4	10,5
Fósforo (mg)	410,8	82,2
Potássio (mg)	1.471,4	294,3
Sódio (mg)	1.587,8	317,6
Zinco (mg)	2,7	0,5
Cobre (mg)	1,2	0,2
Manganês (mg)	0,7	0,1
Selênio (mcg)	46,4	9,3
VITAMINAS		
C (mg)	11,9	2,4
B_1 (mg)	0,3	0,1
B_2 (mg)	1,4	0,3
B_3 (mg)	16,4	3,3
B_5 (mg)	5,9	1,2
B_6 (mg)	0,6	0,1
B_9 (ácido fólico) (mcg)	96,3	19,3
E (mg)	2	0,4
K (mcg)	58,4	11,7
Colina (mg)	69,1	13,8
Betacaroteno (mcg)	199,9	40
Luteína e zeaxantina (mcg)	105,8	21,2

Guacamole

INGREDIENTES

1 pimentão verde médio (142 g)
1 pimentão vermelho médio (152 g)
½ cebola grande (122 g)
2 tomates médios sem sementes (330 g)
½ abacate grande (456 g)
½ xícara (chá) de salsa sem os talos picada finamente (40 g)
4 colheres (sopa) cheias de suco de limão (32 g)
2 colheres (sopa) cheias de azeite de oliva (20 g)
2 colheres (café) cheias de sal marinho (8 g)
1 colher (café) rasa do caldo de pimenta vermelha líquida ou a gosto

MODO DE PREPARO

1. Corte os pimentões, a cebola e os tomates em quadradinhos bem pequenos.
2. Amasse o abacate delicadamente com um garfo (cuidado para não amassá-lo demais, pois a pasta deve ficar consistente).
3. Misture todos os ingredientes picados em uma vasilha e acrescente a salsa, o suco de limão, o azeite, o sal e a pimenta.
4. Sirva esta pasta logo após o preparo.

RENDIMENTO: 20 porções (colheres de sopa).

SUGESTÃO:
✓ Escolha um abacate que esteja maduro, bem "no ponto".

Esta receita é rica em: gordura monoinsaturada; fibra; vitaminas C, B_3, B_5, B_9 (ácido fólico), E e K; betacaroteno.

INFORMAÇÃO NUTRICIONAL	TOTAL	PORÇÃO
CALORIAS (KCAL)	**1.150,1**	**57,5**
PROTEÍNA (G)	**18,1**	**0,9**
GORDURA TOTAL (G)	**88,7**	**4,4**
Saturada (g)	12	0,6
Monoinsaturada (g)	60,3	3
Poli-insaturada (g)	13	0,6
Ômega-6 (g)	11,1	0,6
Ômega-3 (g)	0,2	0
CARBOIDRATO (G)	**88,3**	**4,4**
Fibra (g)	42,5	2,1
MINERAIS		
Cálcio (mg)	202	10,1
Ferro (mg)	7,6	0,4
Magnésio (mg)	238,7	11,9
Fósforo (mg)	456,5	22,8
Potássio (mg)	4.058,8	202,9
Sódio (mg)	3.189,1	159,5
Zinco (mg)	5	0,2
Cobre (mg)	3,4	0,2
Manganês (mg)	0,1	0
Selênio (mcg)	0	0
VITAMINAS		
C (mg)	543,5	27,2
B_1 (mg)	0	0
B_2 (mg)	0	0
B_3 (mg)	15,9	0,8
B_5 (mg)	4,7	0,2
B_6 (mg)	0,4	0
B_9 (ácido fólico) (mcg)	641,6	32,1
E (mg)	21,4	1,1
K (mcg)	804,9	40,2
Colina (mg)	118,6	5,9
Betacaroteno (mcg)	8.562,8	428,1
Luteína e zeaxantina (mcg)	4.024,4	201,2

Chutney de abacaxi

INGREDIENTES

1 abacaxi médio maduro, sem a casca (750 g)
5 colheres (sopa) cheias de açúcar mascavo (90 g)
2 colheres (café) de pimenta-do-reino em pó
2 colheres (café) de gengibre em pó
2 colheres (café) de cominho em pó
1 colher (café) de curry em pó
1 colher (café) de páprica picante em pó

MODO DE PREPARO

1. Corte o abacaxi em cubos médios.
2. Coloque-os em uma panela e acrescente o restante dos ingredientes.
3. Leve ao fogo baixo e cozinhe, mexendo com frequência por cerca de 30 minutos, ou até que fique com uma consistência cremosa.
4. Sirva quente ou frio.

RENDIMENTO: 9 porções (colheres de sopa).

SUGESTÃO:
✓ Você pode substituir o abacaxi por morangos, manga, banana ou outra fruta da sua preferência.

Esta receita é rica em: potássio; manganês; vitamina C.

INFORMAÇÃO NUTRICIONAL	TOTAL	PORÇÃO
CALORIAS (KCAL)	**679,5**	**75,5**
PROTEÍNA (G)	**7,5**	**0,8**
GORDURA TOTAL (G)	**0**	**0**
Saturada (g)	0	0
Monoinsaturada (g)	0	0
Poli-insaturada (g)	0	0
Ômega-6 (g)	0	0
Ômega-3 (g)	0	0
CARBOIDRATO (G)	**178,2**	**19,8**
Fibra (g)	0	0
MINERAIS		
Cálcio (mg)	172,2	19,1
Ferro (mg)	0,9	0,1
Magnésio (mg)	98,1	10,9
Fósforo (mg)	71,1	7,9
Potássio (mg)	1.057,2	117,5
Sódio (mg)	32,7	3,6
Zinco (mg)	0	0
Cobre (mg)	0	0
Manganês (mg)	15	1,7
Selênio (mcg)	0,9	0,1
VITAMINAS		
C (mg)	127,5	14,2
B_1 (mg)	0	0
B_2 (mg)	0	0
B_3 (mg)	0	0
B_5 (mg)	0	0
B_6 (mg)	0	0
B_9 (ácido fólico) (mcg)	83,4	9,3
E (mg)	0	0
K (mcg)	7,5	0,8
Colina (mg)	46,8	5,2
Betacaroteno (mcg)	232,5	25,8
Luteína e zeaxantina (mcg)	0	0

Combinações tradicionais revisitadas
com criatividade e altas doses
de proteínas e minerais, para aquecer
o corpo e o espírito. Sirva como entrada
ou um prato principal leve.

SOPAS

Tomate com tofu

INGREDIENTES

6 tomates médios bem vermelhos e maduros (926 g)
1 batata média (196 g)
1 cenoura média (140 g)
½ bulbo médio de funcho (erva-doce) (284 g)
1 litro de água
1 colher (sopa) rasa de sal marinho (12 g)
1 colher (sopa) rasa de alecrim fresco (2g)
1 fatia grande de tofu em cubos (150 g)

MODO DE PREPARO

1 Descasque a batata e a cenoura.
2 Corte ao meio os tomates, a batata, a cenoura e o funcho (quanto mais maduros estiverem os tomates, mais vermelha ficará a sopa).
3 Coloque-os na panela de pressão junto com a água.
4 Leve ao fogo e deixe cozinhar por cerca de 25 minutos (a contar do momento em que a panela começar a apitar).
5 Deixe esfriar um pouco e bata tudo no liquidificador.
6 Passe por uma peneira e acrescente o sal, o alecrim e o tofu picado.
7 Sirva em seguida.

RENDIMENTO: 3½ porções (pratos fundos).

Esta receita é rica em: proteína; gordura monoinsaturada; cálcio; ferro; magnésio; fósforo; potássio; cobre; manganês; vitaminas C, B_3, B_9 (ácido fólico) e K; betacaroteno.

INFORMAÇÃO NUTRICIONAL	TOTAL	PORÇÃO
CALORIAS (KCAL)	562,3	160,7
PROTEÍNA (G)	34,4	9,8
GORDURA TOTAL (G)	9	2,6
Saturada (g)	1,5	0,4
Monoinsaturada (g)	6	1,7
Poli-insaturada (g)	1,5	0,4
Ômega-6 (g)	0	0
Ômega-3 (g)	0	0
CARBOIDRATO (G)	97,4	27,8
Fibra (g)	16,6	4,8
MINERAIS		
Cálcio (mg)	602,1	172
Ferro (mg)	11,8	3,4
Magnésio (mg)	291,6	83,3
Fósforo (mg)	691,7	197,6
Potássio (mg)	4.826,8	1379,1
Sódio (mg)	4.973,1	1420,9
Zinco (mg)	1,5	0,4
Cobre (mg)	9,3	2,6
Manganês (mg)	3,5	1
Selênio (mcg)	22,4	6,4
VITAMINAS		
C (mg)	184,4	52,7
B_1 (mg)	0	0
B_2 (mg)	0	0
B_3 (mg)	15,5	4,4
B_5 (mg)	0	0
B_6 (mg)	0	0
B_9 (ácido fólico) (mcg)	301	86
E (mg)	10,7	3
K (mcg)	92,3	26,4
Colina (mg)	77,4	22,1
Betacaroteno (mcg)	15.756,7	4501,9
Luteína e zeaxantina (mcg)	1.497,4	427,8

Milho verde com shimeji

INGREDIENTES

8 espigas de milho médias (1,584 kg)
1 litro de água
1 colher (sopa) rasa de sal marinho (12 g)
½ bandeja de cogumelos shimeji (132 g)

MODO DE PREPARO

1. Lave as espigas de milho, elimine todos os fios e retire os grãos (ainda crus) com uma faca.
2. Bata os grãos de milho no liquidificador, junto com a água.
3. Passe o milho batido por uma peneira.
4. Coloque-o em uma panela e acrescente o sal e os cogumelos separados em buquezinhos.
5. Leve ao fogo e aqueça por 15 minutos, mexendo sempre para não grudar.
6. Sirva a seguir.

RENDIMENTO: 3 porções (pratos fundos).

SUGESTÕES:

✓ Caso prefira uma sopa mais líquida, acrescente mais água e não a esquente por muito tempo.

✓ Quando esta sopa é passada pela peneira, fica mais cremosa, mas você também pode fazê-la sem peneirar. Experimente.

Esta receita é rica em: proteína; ômega-6; fibra; magnésio; fósforo; potássio; zinco; manganês; vitaminas C, B_3, B_5, B_9 (ácido fólico); colina; luteína e zeaxantina.

INFORMAÇÃO NUTRICIONAL	TOTAL	PORÇÃO
CALORIAS (KCAL)	**1.565,5**	**521,8**
PROTEÍNA (G)	**50,5**	**16,8**
GORDURA TOTAL (G)	**32,3**	**10,8**
Saturada (g)	0	0
Monoinsaturada (g)	0	0
Poli-insaturada (g)	15,8	5,3
Ômega-6 (g)	15,8	5,3
Ômega-3 (g)	0	0
CARBOIDRATO (G)	**341,6**	**113,9**
Fibra (g)	35	11,7
MINERAIS		
Cálcio (mg)	53	17,7
Ferro (mg)	0,6	0,2
Magnésio (mg)	438,4	146,1
Fósforo (mg)	1.367,5	455,8
Potássio (mg)	3.855,4	1285,1
Sódio (mg)	4.678,7	1559,6
Zinco (mg)	17,2	5,7
Cobre (mg)	0,2	0,1
Manganês (mg)	412,2	137,4
Selênio (mcg)	7,5	2,5
VITAMINAS		
C (mg)	95	31,7
B_1 (mg)	0	0
B_2 (mg)	0,3	0,1
B_3 (mg)	36,8	12,3
B_5 (mg)	17,8	5,9
B_6 (mg)	0,4	0,1
B_9 (ácido fólico) (mcg)	381,5	127,2
E (mg)	0	0
K (mcg)	0	0
Colina (mg)	459,4	153,1
Betacaroteno (mcg)	1.045,4	348,5
Luteína e zeaxantina (mcg)	14.351	4.783,7

Mandioquinha com agrião e tomate

INGREDIENTES

4 mandioquinhas grandes (batatas-baroas) (780 g)
1 chuchu médio (356 g)
2 batatas grandes (390 g)
1 abobrinha média (244 g)
1,4 litro de água
1 folha grande de alho-poró (18 g)
½ maço de agrião (76 g)
2 tomates médios (290 g)
1 colher (sopa) rasa de sal marinho (12 g)
1 colher (sopa) de azeite de oliva (10 g)

MODO DE PREPARO

1. Descasque as mandioquinhas, o chuchu e as batatas.
2. Corte a abobrinha ao meio e coloque-a, junto com as mandioquinhas, o chuchu e as batatas, na panela de pressão.
3. Acrescente a água.
4. Leve ao fogo médio e cozinhe por 30 minutos (a contar do momento em que a panela começar a apitar).
5. Pique finamente a folha de alho-poró e os talos do agrião e refogue com o azeite até que estejam macios. Reserve.
6. Tire a pele e as sementes dos tomates, pique-os em cubinhos e reserve.
7. Depois que os legumes da panela de pressão estiverem cozidos, deixe esfriar um pouco e bata-os no liquidificador, com a própria água do cozimento, até obter um creme.
8. Coloque o creme de legumes em uma panela e acrescente o agrião refogado, o tomate picado e o sal. Aqueça mais um pouco e sirva em seguida.

RENDIMENTO: 5 porções (pratos fundos).

SUGESTÕES:

✓ Se você colocar água a mais para cozinhar, não a ponha toda para bater no liquidificador, pois não irá obter um creme. Guarde-a para usar como um caldo de legumes ou para cozinhar outra preparação.

✓ Se preferir a sopa com tempero um pouco mais forte, acrescente o agrião picado sem refogar direto no creme – ele irá acrescentar seu sabor à sopa.

INFORMAÇÃO NUTRICIONAL	TOTAL	PORÇÃO
CALORIAS (KCAL)	**1.163,6**	**232,7**
PROTEÍNA (G)	**34,6**	**6,9**
GORDURA TOTAL (G)	**10,4**	**2,1**
Saturada (g)	1,5	0,3
Monoinsaturada (g)	7,3	1,5
Poli-insaturada (g)	1,2	0,2
Ômega-6 (g)	1,0	0,2
Ômega-3 (g)	0,1	0,0
CARBOIDRATO (G)	**243,8**	**48,8**
Fibra (g)	41,1	8,2
MINERAIS		
Cálcio (mg)	581,9	116,4
Ferro (mg)	17,0	3,4
Magnésio (mg)	421,9	84,4
Fósforo (mg)	793,1	158,6
Potássio (mg)	6.295,1	1.259,0
Sódio (mg)	5.199,9	1.040,0
Zinco (mg)	5,9	1,2
Cobre (mg)	4,1	0,8
Manganês (mg)	6,0	1,2
Selênio (mcg)	5,6	1,1
VITAMINAS		
C (mg)	204,1	40,8
B_1 (mg)	0,6	0,1
B_2 (mg)	0,5	0,1
B_3 (mg)	11,2	2,2
B_5 (mg)	6,3	1,3
B_6 (mg)	1,7	0,3
B_9 (ácido fólico) (mcg)	615,8	123,2
E (mg)	7,3	1,5
K (mcg)	265,7	53,1
Colina (mg)	181,2	36,2
Betacaroteno (mcg)	69.599,7	13.919,9
Luteína e zeaxantina (mcg)	10.266,6	2.053,3

Esta receita é rica em: fibra; cálcio; ferro; magnésio; potássio; cobre; manganês; vitaminas C, B_3, B_5, B_6, B_9 (ácido fólico) e K; betacaroteno; luteína e zeaxantina.

Brócolis

INGREDIENTES

1 maço médio de brócolis (630 g)
1 batata grande (392 g)
1 cenoura pequena (154 g)
1,2 litro de água
3 minibrócolis, para enfeitar (156 g)
1 colher (sopa) rasa de sal marinho (12 g)
1 colher (sopa) cheia de amêndoas (16 g)

MODO DE PREPARO

1. Descasque a batata e a cenoura.
2. Coloque-as na panela de pressão, junto com os brócolis e 1 litro da água.
3. Leve ao fogo médio e deixe cozinhar por 25 minutos (a contar do momento em que a panela começar a apitar).
4. À parte, em uma panela pequena, leve para ferver os 200 ml de água restantes e acrescente os minibrócolis. Tampe a panela (para formar vapor) e deixe cozinhar por apenas 10 minutos.
5. Deixe que os legumes da panela de pressão esfriem um pouco e bata-os no liquidificador, com o sal, até obter um creme homogêneo.
6. Acrescente os minibrócolis e as amêndoas picados, para enfeitar.
7. Sirva quente.

RENDIMENTO: 4 porções (pratos fundos).

SUGESTÕES:

✓ Se preferir, pode coar a sopa para eliminar alguma fibra.
✓ Croûtons também são uma boa opção na hora de servir.

INFORMAÇÃO NUTRICIONAL	TOTAL	PORÇÃO
CALORIAS (KCAL)	649,7	162,4
PROTEÍNA (G)	40,2	10,1
GORDURA TOTAL (G)	7,8	2
Saturada (g)	0,6	0,2
Monoinsaturada (g)	5	1,2
Poli-insaturada (g)	1,9	0,5
Ômega-6 (g)	1,9	0,5
Ômega-3 (g)	0	0
CARBOIDRATO (G)	121	30,2
Fibra (g)	38	9,5
MINERAIS		
Cálcio (mg)	583	145,7
Ferro (mg)	20,3	5,1
Magnésio (mg)	316,7	79,2
Fósforo (mg)	799,1	199,8
Potássio (mg)	4.709,3	1.177,3
Sódio (mg)	5056	1264
Zinco (mg)	0,5	0,1
Cobre (mg)	0,2	0
Manganês (mg)	4,3	1,1
Selênio (mcg)	16,1	4
VITAMINAS		
C (mg)	751,9	188
B_1 (mg)	0	0
B_2 (mg)	0,2	0
B_3 (mg)	13,8	3,5
B_5 (mg)	7,9	2
B_6 (mg)	0	0
B_9 (ácido fólico) (mcg)	599,1	149,8
E (mg)	13,6	3,4
K (mcg)	821,7	205,4
Colina (mg)	171,5	42,9
Betacaroteno (mcg)	15.596,5	3.899,1
Luteína e zeaxantina (mcg)	11.422	2.855,5

Esta receita é rica em: proteína; fibra; cálcio; ferro; magnésio; fósforo; potássio; manganês; vitaminas C, B_3, B_5, B_9 (ácido fólico), E e K; betacaroteno; luteína e zeaxantina.

Creme de cenoura e abóbora

INGREDIENTES

3 cenouras médias (400 g)
1 batata-doce média (242 g)
½ abóbora japonesa média (854 g)
1,4 litro de água
1 colher (sopa) rasa de sal marinho (12 g)

MODO DE PREPARO

1. Descasque a cenoura e a batata-doce. A abóbora pode ser cozida com a casca.
2. Coloque os legumes na panela de pressão junto com a água.
3. Leve ao fogo médio e cozinhe por 30 minutos (a contar do momento em que a panela começar a apitar).
4. Espere esfriar um pouco e bata os legumes no liquidificador, com o sal.
5. Sirva em seguida.

RENDIMENTO: 5 porções (pratos fundos).

SUGESTÕES:
- ✓ Você pode utilizar outro tipo de abóbora.
- ✓ Para decorar, polvilhe com gergelim tostado – ficará delicioso.

Esta receita é rica em: cálcio; ferro; magnésio; fósforo; potássio; manganês; vitaminas C, B_9 (ácido fólico), E e K; betacaroteno; luteína e zeaxantina.

INFORMAÇÃO NUTRICIONAL	TOTAL	PORÇÃO
CALORIAS (KCAL)	526,4	105,3
PROTEÍNA (G)	19,8	4
GORDURA TOTAL (G)	0	0
Saturada (g)	0	0
Monoinsaturada (g)	0	0
Poli-insaturada (g)	0	0
Ômega-6 (g)	0	0
Ômega-3 (g)	0	0
CARBOIDRATO (G)	120,3	24,1
Fibra (g)	16,8	3,4
MINERAIS		
Cálcio (mg)	385,9	77,2
Ferro (mg)	15,8	3,2
Magnésio (mg)	206,2	41,2
Fósforo (mg)	607,7	121,5
Potássio (mg)	5.183,7	1.036,7
Sódio (mg)	3.409,4	681,9
Zinco (mg)	0	0
Cobre (mg)	0	0
Manganês (mg)	2,4	0,5
Selênio (mcg)	0	0
VITAMINAS		
C (mg)	127,5	25,5
B_1 (mg)	0	0
B_2 (mg)	0	0
B_3 (mg)	15	3
B_5 (mg)	0	0
B_6 (mg)	0	0
B_9 (ácido fólico) (mcg)	253,8	50,8
E (mg)	12,5	2,5
K (mcg)	60,5	12,1
Colina (mg)	104,3	20,9
Betacaroteno (mcg)	59.614	11.922,8
Luteína e zeaxantina (mcg)	13.834	2.766,8

Minestrone

INGREDIENTES

1 cenoura média (140 g)
1 chuchu médio (394 g)
1 abobrinha grande (342 g)
1 batata média (186 g)
1 fatia pequena de abóbora japonesa com a casca (146 g)
1 tomate médio, sem pele e sem sementes (174 g)
7 vagens médias (68 g)
1 flor grande de brócolis (52 g)
3 flores médias de couve-flor (194 g)
1,2 litro de água
¼ de pacote de macarrão integral (100 g)
1 colher (sopa) cheia de sal marinho (18 g)
2 colheres (chá) cheias de manjerona (4 g)

MODO DE PREPARO

1. Descasque a cenoura, o chuchu e a batata e tire as pontas das vagens (puxando junto o fio).
2. Pique todos os legumes em quadradinhos.
3. Coloque a cenoura, o chuchu, a abobrinha, a batata e a abóbora na panela de pressão, junto com a água.
4. Leve ao fogo médio e cozinhe por 10 minutos (a contar do momento em que a panela começar a apitar).
5. Abra a panela de pressão e acrescente o restante dos ingredientes (inclusive o macarrão) e deixe cozinhar por mais 15 minutos, sem a pressão. Mexa às vezes para não grudar na panela.
6. Sirva ainda quente.

RENDIMENTO: 5 porções (pratos fundos).

Esta receita é rica em: proteína; fibra; cálcio; ferro; magnésio; fósforo; potássio; cobre; manganês; vitaminas C, B_3, B_9 (ácido fólico) e K; betacaroteno; luteína e zeaxantina.

INFORMAÇÃO NUTRICIONAL	TOTAL	PORÇÃO
CALORIAS (KCAL)	849	169,8
PROTEÍNA (G)	43,9	8,8
GORDURA TOTAL (G)	1	0,2
Saturada (g)	0	0
Monoinsaturada (g)	0	0
Poli-insaturada (g)	1,2	0,2
Ômega-6 (g)	1	0,2
Ômega-3 (g)	0	0
CARBOIDRATO (G)	185	37
Fibra (g)	34,3	6,9
MINERAIS		
Cálcio (mg)	484,5	96,9
Ferro (mg)	16,3	3,3
Magnésio (mg)	421,1	84,2
Fósforo (mg)	904,2	180,8
Potássio (mg)	4.768,7	953,7
Sódio (mg)	7.247,3	1.449,5
Zinco (mg)	6,8	1,4
Cobre (mg)	1,8	0,4
Manganês (mg)	5,8	1,2
Selênio (mcg)	3,9	0,8
VITAMINAS		
C (mg)	294,6	58,9
B_1 (mg)	0	0
B_2 (mg)	0	0
B_3 (mg)	15,4	3,1
B_5 (mg)	3,5	0,7
B_6 (mg)	0	0
B_9 (ácido fólico) (mcg)	885,2	177
E (mg)	5,2	1
K (mcg)	172	34,4
Colina (mg)	205	41
Betacaroteno (mcg)	17.845,4	3.569,1
Luteína e zeaxantina (mcg)	10.899,3	2.179,9

Uma seleção colorida de legumes ligeiramente cozidos ou grelhados, folhas frescas e ingredientes tipicamente brasileiros, acompanhada de um mix de molhos, para quem busca uma alimentação saudável.

SALADAS

Crudités

INGREDIENTES

½ pimentão vermelho (115 g)
½ pimentão amarelo (130 g)
½ pepino médio (180 g)
4 palmitos pupunha médios (162 g)
4 flores pequenas de brócolis (65 g)
4 xícaras (chá) de água fervente (800 ml)
1 colher (sopa) rasa de sal (12 g)
8 minimilhos (65 g)
5 minicenouras (100 g)
6 tomates-cereja médios (65 g)

MODO DE PREPARO

1. Corte os pimentões em bastonetes (palitos) de 5-8 mm de espessura.
2. Corte o pepino em fatias finas na mandolina (utensílio apropriado para fatiar e ralar em várias espessuras). Para criar um efeito ondulado na casca, faça cortes/riscos longitudinais com os dentes de um garfo, antes de fatiar o pepino.
3. Corte o palmito pupunha em fatias grandes, na transversal (como na foto).
4. Elimine os talos dos brócolis, deixando só a parte de cima, verde-escura, das flores. Mergulhe-as na água fervente, com o sal, os minimilhos, o salsão, os pimentões e as minicenouras por apenas 50 segundos. Retire-as com uma escumadeira e, imediatamente a seguir, mergulhe-as em água gelada para dar um choque térmico (este processo se chama branqueamento, e também deixa os vegetais prontos para serem congelados).
5. Disponha os vegetais de forma decorativa em uma travessa. Cubra-os com papel absorvente umedecido e embale com filme plástico. Guarde-os na geladeira por no mínimo 1 hora e retire no momento de servir.
6. Sirva com hashis (pauzinhos da culinária asiática) ou pequenos espetos.

RENDIMENTO: 2 porções.

SUGESTÃO:

✓ Este prato fica ótimo com os seguintes molhos:
Tahine (receita na p. 66); Tofu com shoyu (receita na p. 64);
Molho de manjericão (receita na p. 68).

INFORMAÇÃO NUTRICIONAL	TOTAL	PORÇÃO
CALORIAS (KCAL)	261,6	130,8
PROTEÍNA (G)	12,7	6,4
GORDURA TOTAL (G)	1,2	0,6
Saturada (g)	0,1	0
Monoinsaturada (g)	0,1	0
Poli-insaturada (g)	0,2	0,1
Ômega-6 (g)	0	0
Ômega-3 (g)	0	0
CARBOIDRATO (G)	54,9	27,4
Fibra (g)	18	9
MINERAIS		
Cálcio (mg)	169,7	84,9
Ferro (mg)	1,4	0,7
Magnésio (mg)	129,6	64,8
Fósforo (mg)	305,6	152,8
Potássio (mg)	1.828,5	914,3
Sódio (mg)	2.517	1.258
Zinco (mg)	0,9	0,5
Cobre (mg)	0,2	0,1
Manganês (mg)	0,3	0,2
Selênio (mcg)	2,2	1,1
VITAMINAS		
C (mg)	407,3	203,6
B_1 (mg)	0,1	0
B_2 (mg)	0	0
B_3 (mg)	4,8	2,4
B_5 (mg)	0,9	0,5
B_6 (mg)	0,1	0
B_9 (ácido fólico) (mcg)	220,6	110,3
E (mg)	6,9	3,5
K (mcg)	109,3	54,6
Colina (mg)	56,8	28,4
Betacaroteno (mcg)	12.854,6	6.427,3
Luteína e zeaxantina (mcg)	1.676,6	838,3

Esta receita é rica em: cálcio; potássio; vitaminas C, B_9 (ácido fólico) e K; betacaroteno; luteína e zeaxantina.

INGREDIENTES

2 xícaras (chá) cheias de água (450 ml)
¼ de xícara (chá) de pérolas de tapioca (sagu) (40 g)
1 colher (sopa) rasa de açafrão-da-terra (6 g)
1 pedaço pequeno de abobrinha (40 g)
2 grãos de pimenta moída
1 colher (chá) rasa de suco de limão-siciliano (6 g)
1 colher (chá) cheia de azeite de oliva (6 g)
1 pedaço pequeno de pimentão vermelho (20 g)
1 pedaço pequeno de pepino (20 g)
1 pedaço pequeno de cenoura (20 g)
1 ramo pequeno de salsa crespa
1 dente de alho (2 g)
uma pitada de sal do himalaia ou sal marinho
azeite de alho a gosto (opcional)
folhas de manjericão e de orégano frescas, pimenta rosa e ciboulette a gosto, para enfeitar (opcional)

Elogio à tapioca

MODO DE PREPARO

1. Em uma panela, coloque a água e as pérolas de tapioca. Leve ao fogo médio e cozinhe por cerca de 20 minutos, mexendo de vez em quando para evitar que grudem no fundo. Retire do fogo e escorra a água em uma peneira.
2. Coloque a tapioca em uma vasilha e adicione o açafrão, a pimenta moída e o alho esmagado com o sal. Regue com o suco de limão e o azeite. Reserve.
3. Enquanto a tapioca cozinha, corte os legumes em brunoise (cubos bem miudinhos).
4. Coloque os legumes em uma frigideira e adicione um fio de azeite de oliva e uma pitada de sal. Leve ao fogo alto e salteie-os ligeiramente.
5. Incorpore os legumes às pérolas de tapioca já temperadas, acrescente a salsa picada finamente e misture bem.
6. Coloque na fôrma da sua preferência, untada com um pouco de azeite de oliva, leve à geladeira por 2 horas e desenforme.
7. Sirva este prato frio e, se preferir, regue-o com um fio de azeite de alho.
8. Finalize com folhas de manjericão e de orégano, pimenta rosa e ciboulette.

RENDIMENTO: 1 porção.

SUGESTÃO DO CHEF:

✓ O azeite de alho também substitui o alho e a cebola picados dos refogados e é perfeito para regar saladas de folhas. Veja receita abaixo.

Ingredientes:

para cada xícara de azeite de oliva, adicione 1 cabeça de alho cortada ao meio ou 4 colheres (sopa) de alho desidratado.

Preparo:

Alho cru: selecione as cabeças de alho mais bonitas, corte-as ao meio e coloque-as em um vidro com tampa (de preferência escuro), esterilizado. Cubra o alho com o azeite de oliva e feche bem o vidro. Abra-o somente depois de três dias. Guarde o vidro em local fresco, protegido da luz do sol.

Alho desidratado: coloque o alho desidratado no azeite e agite levemente para que fique totalmente imerso. Aguarde de cinco a oito dias para usar (o tempo de aromatização é maior que o do alho cru).

Esta receita é rica em: manganês; betacaroteno; luteína e zeaxantina.

INFORMAÇÃO NUTRICIONAL	TOTAL	PORÇÃO
CALORIAS (KCAL)	239,8	239,8
PROTEÍNA (G)	1,8	1,8
GORDURA TOTAL (G)	6,4	6,4
Saturada (g)	0,9	0,9
Monoinsaturada (g)	4,4	4,4
Poli-insaturada (g)	0,8	0,8
Ômega-6 (g)	0,6	0,6
Ômega-3 (g)	0,1	0,1
CARBOIDRATO (G)	44,7	44,7
Fibra (g)	2,4	2,4
MINERAIS		
Cálcio (mg)	33,1	33,1
Ferro (mg)	1,4	1,4
Magnésio (mg)	30,7	30,7
Fósforo (mg)	50,5	50,5
Potássio (mg)	354,4	354,4
Sódio (mg)	28,5	28,5
Zinco (mg)	0,1	0,1
Cobre (mg)	0	0
Manganês (mg)	1,7	1,7
Selênio (mcg)	0,7	0,7
VITAMINAS		
C (mg)	42,2	42,2
B_1 (mg)	0	0
B_2 (mg)	0	0
B_3 (mg)	0,5	0,5
B_5 (mg)	0,1	0,1
B_6 (mg)	0,1	0,1
B_9 (ácido fólico) (mcg)	35,2	35,2
E (mg)	1,4	1,4
K (mcg)	10,2	10,2
Colina (mg)	9	9
Betacaroteno (mcg)	2.036,2	2.036,2
Luteína e zeaxantina (mcg)	915,3	915,3

Waldorf especial

MODO DE PREPARO

1 Rasgue as folhas de alface com as mãos. Coloque as uvas-passas para hidratar em água morna por 2 minutos ou, se preferir, salteie-as em um fio de azeite de oliva até que inchem. Corte a maçã em cubos e, se não for utilizá-la na hora, deixe-a imersa em água com um pouco de suco de limão ou um pouco de sal, para que não oxide. Corte os damascos em tiras, o salsão em cubos e quebre um pouco as nozes. Misture tudo e regue com o molho de maionese vegano – caso você não possa abusar das calorias, reduza a quantidade do molho.

RENDIMENTO: 1 porção.

SUGESTÕES:

✓ Salpique a salada com lâminas de abóbora japonesa, assadas em forno médio (180°C) com um fio de azeite de oliva por cima durante cerca de 10 minutos ou até que fiquem estaladiças (douradas, secas e crocantes). Deixe esfriar e empregue.

✓ Outra opção é salpicar a salada com folhas de erva-doce/funcho.

Esta receita é rica em: cálcio; fósforo; vitamina K; betacaroteno.

INFORMAÇÃO NUTRICIONAL	TOTAL	PORÇÃO	MOLHO	PORÇÃO
CALORIAS (KCAL)	**476,6**	**476,6**	**691,1**	**172,8**
PROTEÍNA (G)	**8,6**	**8,6**	**18,6**	**4,7**
GORDURA TOTAL (G)	**26,3**	**26,3**	**52,8**	**13,2**
Saturada (g)	2,4	2,4	8,2	2,1
Monoinsaturada (g)	3,6	3,6	37	9,2
Poli-insaturada (g)	18,8	18,8	9,1	2,3
Ômega-6 (g)	15,2	15,2	4,6	1,2
Ômega-3 (g)	3,6	3,6	0,5	0,1
CARBOIDRATO (G)	**61,4**	**61,4**	**38,6**	**9,7**
Fibra (g)	9,1	9,1	9,1	2,3
MINERAIS				
Cálcio (mg)	112,8	112,8	569,4	142,3
Ferro (mg)	3,5	3,5	6,4	1,6
Magnésio (mg)	99,1	99,1	53,9	13,5
Fósforo (mg)	225,4	225,4	100,6	25,1
Potássio (mg)	1.036,2	1.036,2	1.038,5	259,6
Sódio (mg)	47,4	47,4	1.652,8	413,2
Zinco (mg)	1,2	1,2	0	0
Cobre (mg)	0,8	0,8	0	0
Manganês (mg)	1,2	1,2	1,9	0,5
Selênio (mcg)	3,8	3,8	0	0
VITAMINAS				
C (mg)	22,1	22,1	43,6	10,9
B_1 (mg)	0	0	0	0
B_2 (mg)	0	0	0	0
B_3 (mg)	1,6	1,6	2,6	0,6
B_5 (mg)	0,7	0,7	0	0
B_6 (mg)	0,4	0,4	0	0
B_9 (ácido fólico) (mcg)	86	86	48,7	12,2
E (mg)	1,7	1,7	7,1	1,8
K (mcg)	158,9	158,9	36,7	9,2
Colina (mg)	37,8	37,8	8,1	2
Betacaroteno (mcg)	4.511,3	4.511,3	5.800,6	1.450,1
Luteína e zeaxantina (mcg)	1.559,7	1.559,7	183,2	45,8

INGREDIENTES

4 folhas médias de alface-americana (85 g)
1 colher (sopa) de uvas-passas (25 g)
½ maçã verde grande, com a casca (100 g)
3 damascos médios (30 g)
1 talo pequeno de salsão (20 g)
2 colheres (sopa) de nozes (40 g)

MOLHO DE MAIONESE VEGANO

1 batata média (185 g)
1 cenoura pequena (70 g)
1 xícara (chá) de leite de soja para uso culinário (200 ml)
1 colher (chá) rasa de sal marinho (4 g)
¼ de xícara (chá) de azeite de oliva extra virgem (46 g)
suco de 1 limão (36 g)

Descasque a batata e a cenoura e pique-as em cubos. Cozinhe até que fiquem macias e deixe esfriar. Coloque-as no liquidificador. Acrescente o leite de soja, o suco de limão e o sal, e com o motor ligado vá despejando o azeite em fio até obter uma consistência cremosa. Ponha em um vidro esterilizado, com tampa, e guarde na geladeira por até 10 dias.

RENDIMENTO: 500 g.

INGREDIENTES

3 cogumelos-de-paris grandes (65 g)
1 xícara (chá) de água gelada filtrada (200 ml)
1 colher (café) rasa de sal (2 g)
3 colheres (sopa) de suco de limão (32 g)
½ xícara (chá) rasa de brotos de feijão (30 g)
2 xícaras (chá) de água fervente (400 ml)
1 folha pequena de repolho-roxo (32 g)
2 minicenouras (40 g)
1 tomate-cereja, para decorar (4 g)

MOLHO DE LIMÃO-SICILIANO

2 colheres (sopa) de suco de limão-siciliano (16 g)
1 colher (sopa) rasa de azeite de oliva (10 g)
1 colher (café) rasa de sal marinho (2 g)
½ colher (café) de tomilho
1 colher (café) cheia de coentro fresco ou folhas de orégano (2 g)
alho amassado a gosto
pimenta-do-reino a gosto

Misture todos os ingredientes em um recipiente apropriado e regue a salada.

RENDIMENTO: 1 porção

Torre in natura

MODO DE PREPARO

1. Limpe os cogumelos e corte-os em lâminas finíssimas na mandolina (utensílio apropriado para fatiar e ralar em várias espessuras), ou mesmo com a faca. Deixe-os de molho na água gelada com o sal e o suco de limão por 30 minutos. Reserve.
2. Corte o pepino também em lâminas finíssimas, tal qual os cogumelos, e reserve.
3. Escalde os brotos de feijão em água fervente por apenas 1 minuto, para eliminar o amargor, e escorra imediatamente. Reserve.
4. Corte o repolho-roxo em chiffonnade (tiras finíssimas), e a cenoura, à julienne (palitos bem finos). Reserve.
5. Sobre um prato de servir, coloque as lâminas de cogumelo, repolho e cenoura dentro de um aro, pressionando delicadamente com a mão, para dar uma forma circular. Finalize com os brotos de feijão e decore com o tomate-cereja. Regue com o molho de limão-siciliano e sirva em seguida.

RENDIMENTO: 1 porção.

SUGESTÕES DO CHEF:

- ✓ Empregue cogumelos-de-paris sempre bem frescos. Não é aconselhável lavá-los, pois eles absorvem a água (já há cerca de 80 por cento de água em sua composição) e se tornam viscosos, mas neste caso é uma exceção. O ideal é limpá-los enfarinhados, passando um guardanapo de papel.
- ✓ Unte um aro redondo (ou uma xícara rasa) com um pouco de azeite para desenformar os legumes mais facilmente.
- ✓ Utilize azeite aromatizado com manjericão para decorar; é sempre bom tê-lo para empregar em outras preparações.

Esta receita é rica em: betacaroteno; vitamina K.

INFORMAÇÃO NUTRICIONAL	TOTAL	PORÇÃO	MOLHO	PORÇÃO
CALORIAS (KCAL)	60,2	60,2	93,5	93,5
PROTEÍNA (G)	4,2	4,2	0,2	0,2
GORDURA TOTAL (G)	0,3	0,3	10	10
Saturada (g)	0	0	1,4	1,4
Monoinsaturada (g)	0	0	7,3	7,3
Poli-insaturada (g)	0,1	0,1	1,1	1,1
Ômega-6 (g)	0	0	1	1
Ômega-3 (g)	0	0	0,1	0,1
CARBOIDRATO (G)	13,3	13,3	1,5	1,5
Fibra (g)	4,2	4,2	0,5	0,5
MINERAIS				
Cálcio (mg)	44	44	6,1	6,1
Ferro (mg)	0,9	0,9	0,3	0,3
Magnésio (mg)	26,3	26,3	1,8	1,8
Fósforo (mg)	104,9	104,9	3,5	3,5
Potássio (mg)	516,2	516,2	32,8	32,8
Sódio (mg)	814,8	814,8	776,6	776,6
Zinco (mg)	0,5	0,5	0	0
Cobre (mg)	0,3	0,3	0	0
Manganês (mg)	0,1	0,1	0	0
Selênio (mcg)	6,2	6,2	0	0
VITAMINAS				
C (mg)	37,7	37,7	9	9
B_1 (mg)	0,1	0,1	0	0
B_2 (mg)	0,3	0,3	0	0
B_3 (mg)	3	3	0	0
B_5 (mg)	1,1	1,1	0	0
B_6 (mg)	0,1	0,1	0	0
B_9 (ácido fólico) (mcg)	57,8	57,8	3	3
E (mg)	0,5	0,5	1,5	1,5
K (mcg)	41,2	41,2	12,2	12,2
Colina (mg)	25,8	25,8	1,1	1,1
Betacaroteno (mcg)	3.354,7	3.354,7	79,1	79,1
Luteína e zeaxantina (mcg)	123,8	123,8	19,1	19,1

Aspargos verdes e ervilhas-tortas picantes

MODO DE PREPARO

1. Limpe os aspargos (retire as "unhas" da base) com uma faca própria para legumes e elimine a parte dura dos talos (em geral, correspondente a ⅓ do comprimento do aspargo). Mergulhe-os na água fervente com o sal por cerca de 8 minutos. Só no minuto final acrescente as ervilhas-tortas (já sem as pontas e sem os fios) para que fiquem al dente. Retire os legumes da água fervente e mergulhe-os rapidamente em uma vasilha cheia de água com bastante gelo (para dar o choque térmico). Seque com papel absorvente e reserve.
2. Outra opção é grelhar as ervilhas-tortas rapidamente na frigideira, em vez de cozinhá-las.

RENDIMENTO: 2 porções.

SUGESTÕES DO CHEF:

✓ O ideal é amarrar os aspargos com um barbante e deixá-los em pé, preservando da água as pontas; elas serão cozidas apenas com o vapor.

✓ Para que a receita fique sem glúten, elimine os croûtons.

Esta receita é rica em: magnésio; fósforo; cobre; manganês; vitaminas B_1 e K; luteína; zeaxantina.

INFORMAÇÃO NUTRICIONAL	TOTAL	PORÇÃO	MOLHO	PORÇÃO
CALORIAS (KCAL)	705,9	353	868,5	434,3
PROTEÍNA (G)	16	8	5,9	3
GORDURA TOTAL (G)	62,2	31,1	88	44
Saturada (g)	9,9	4,9	47,9	24
Monoinsaturada (g)	47,6	23,8	31,2	15,6
Poli-insaturada (g)	2	1	5,1	2,5
Ômega-6 (g)	0,8	0,4	4	2
Ômega-3 (g)	0	0	0,4	0,2
CARBOIDRATO (G)	35,2	17,6	23,8	11,9
Fibra (g)	17,5	8,8	6	3
MINERAIS				
Cálcio (mg)	160,3	80,2	85,5	42,8
Ferro (mg)	9,8	4,9	5,6	2,8
Magnésio (mg)	174	87	99,2	49,6
Fósforo (mg)	359,9	180	231,5	115,8
Potássio (mg)	944,6	472,3	688,4	344,2
Sódio (mg)	2.340,7	1.170,4	48,8	24,4
Zinco (mg)	3,1	1,6	1,4	0,7
Cobre (mg)	1,3	0,7	0,6	0,3
Manganês (mg)	4,1	2,1	2,3	1,1
Selênio (mcg)	9,6	4,8	13,3	6,7
VITAMINAS				
C (mg)	50,2	25,1	16,4	8,2
B_1 (mg)	1,3	0,7	0,1	0,1
B_2 (mg)	0,4	0,2	0	0
B_3 (mg)	5,4	2,7	1,9	0,9
B_5 (mg)	1,3	0,7	0,5	0,2
B_6 (mg)	0,4	0,2	0,3	0,1
B_9 (ácido fólico) (mcg)	163,6	81,8	89,6	44,8
E (mg)	4	2	6,7	3,4
K (mcg)	95,3	47,6	66,5	33,3
Colina (mg)	57,1	28,5	25,6	12,8
Betacaroteno (mcg)	1.180,5	590,2	900	450
Luteína e zeaxantina (mcg)	3.577,5	1.788,8	1.710	855

INGREDIENTES

4 aspargos frescos médios (155 g)
4 xícaras (chá) de água fervente (800 ml)
1 colher (chá) rasa de sal marinho (6 g)
13 ervilhas-tortas (100 g)
croûtons (pão de cereais passados ligeiramente na frigideira) a gosto, para servir

MOLHO DE MACADÂMIAS

4 colheres (sopa) de azeite de oliva (40 g)
1 talo de alho-poró (90 g)
2 dentes de alho amassados (4 g)
½ colher (chá) de gengibre em pó
2 colheres (chá) rasas de curry (4 g)
8 macadâmias ligeiramente trituradas (80 g)
½ colher (chá) de louro em pó
1 vidro de leite de coco (200 ml)
uma pitada de sal do Himalaia ou sal marinho
pimenta-branca a gosto

Coloque o azeite de oliva em uma frigideira e leve-o ao fogo médio para aquecer. Adicione o alho-poró cortado à julienne (palitos finos) e o alho bem amassado. Refogue por 2 minutos. Acrescente o gengibre, o curry, as macadâmias, o louro e por último o leite de coco. Tempere com o sal e a pimenta-branca. Deixe cozinhar até levantar fervura, abaixe o fogo e deixe o molho encorpar. Em seguida, bata tudo no liquidificador. Disponha os aspargos e as ervilhas-tortas em uma travessa. Regue com o molho de macadâmias e guarneça com croûtons. Sirva imediatamente.

RENDIMENTO: 2 porções.

Deliciosamente saudáveis e inovadores, acrescentam um toque especial à salada mais humilde. O molho de manjericão pode ser usado também com massas.

MOLHOS PARA SALADAS

Acerola com linhaça

INGREDIENTES

1 colher (sopa) de sementes de linhaça marrom (12 g)
1 colher (chá) de suco de limão (6 g)
½ colher (café) rasa de sal marinho (1 g)
polpa de acerola congelada (100 g)

MODO DE PREPARO

1 Deixe a polpa de acerola descongelar. Coloque-a em uma cumbuca pequena e adicione as sementes de linhaça, o suco de limão e o sal. Misture e deixe descansar por 15 minutos antes de servir.

RENDIMENTO: 3 porções.

SUGESTÃO:
✓ Para aumentar o seu ômega-3, acrescente 1 colher (sopa) de óleo de linhaça.

Esta receita é rica em: ômega-3; vitamina C.

INFORMAÇÃO NUTRICIONAL	TOTAL	PORÇÃO
CALORIAS (KCAL)	97,8	32,6
PROTEÍNA (G)	2,2	0,7
GORDURA TOTAL (G)	5	1,7
Saturada (g)	0,5	0,2
Monoinsaturada (g)	1	0,3
Poli-insaturada (g)	3,5	1,2
Ômega-6 (g)	0,7	0,2
Ômega-3 (g)	2,8	0,9
CARBOIDRATO (G)	12	4
Fibra (g)	4,4	1,5
MINERAIS		
Cálcio (mg)	44,6	14,9
Ferro (mg)	0,8	0,3
Magnésio (mg)	65,5	21,8
Fósforo (mg)	89	29,7
Potássio (mg)	252	84
Sódio (mg)	785,9	262
Zinco (mg)	0,5	0,2
Cobre (mg)	0,1	0
Manganês (mg)	0,2	0,1
Selênio (mcg)	4	1,3
VITAMINAS		
C (mg)	1.681,3	560,4
B_1 (mg)	0,2	0,1
B_2 (mg)	0	0
B_3 (mg)	0,4	0,1
B_5 (mg)	0,1	0
B_6 (mg)	0	0
B_9 (ácido fólico) (mcg)	25,1	8,4
E (mg)	0	0
K (mcg)	0,5	0,2
Colina (mg)	9,8	3,3
Betacaroteno (mcg)	0,2	0,1
Luteína e zeaxantina (mcg)	78,8	26,3

Gergelim com missô e azeite de oliva

INGREDIENTES

½ colher (café) de missô (2 g)
1 colher (chá) de suco de limão (6 g)
1 colher (sopa) cheia de gergelim torrado (12 g)
2 colheres (sopa) rasas de azeite de oliva (20 g)

MODO DE PREPARO

1 Dissolva bem o missô no suco de limão. Acrescente o restante dos ingredientes, misture e sirva.

RENDIMENTO: 2 porções.

SUGESTÃO:
✓ Se desejar, adicione tahine – também fica delicioso.

Esta receita é rica em: ômega-6; cálcio.

INFORMAÇÃO NUTRICIONAL	TOTAL	PORÇÃO
CALORIAS (KCAL)	250,3	125,2
PROTEÍNA (G)	2,3	1,2
GORDURA TOTAL (G)	25,9	12,9
Saturada (g)	3,7	1,8
Monoinsaturada (g)	16,8	8,4
Poli-insaturada (g)	4,8	2,4
Ômega-6 (g)	4,5	2,3
Ômega-3 (g)	0,2	0,1
CARBOIDRATO (G)	4,2	2,1
Fibra (g)	2	1
MINERAIS		
Cálcio (mg)	121,6	60,8
Ferro (mg)	2,1	1,1
Magnésio (mg)	44,2	22,1
Fósforo (mg)	80,7	40,4
Potássio (mg)	69,7	34,8
Sódio (mg)	76,4	38,2
Zinco (mg)	0,9	0,4
Cobre (mg)	0,2	0,1
Manganês (mg)	0,3	0,1
Selênio (mcg)	0,9	0,4
VITAMINAS		
C (mg)	3,2	1,6
B_1 (mg)	0,1	0,1
B_2 (mg)	0	0
B_3 (mg)	0,6	0,3
B_5 (mg)	0	0
B_6 (mg)	0,1	0,1
B_9 (ácido fólico) (mcg)	12,8	6,4
E (mg)	2,8	1,4
K (mcg)	12,6	6,3
Colina (mg)	1,7	0,9
Betacaroteno (mcg)	1,2	0,6
Luteína e zeaxantina (mcg)	0,7	0,3

Tofu com shoyu

INGREDIENTES

1 fatia pequena de tofu (92 g)
1 colher (sopa) rasa de shoyu (12 g)
2 colheres (café) rasas de gengibre fresco ralado (4 g)
1 colher (sobremesa) de suco de limão (4 g)

MODO DE PREPARO

1. Coloque todos os ingredientes em uma vasilha e bata com o mixer (ou no liquidificador) até que fique homogêneo.
2. Polvilhe com um pouco de gengibre ralado e sirva frio.

RENDIMENTO: 2 porções.

SUGESTÕES:
- ✓ Você também pode acrescentar salsa ou cebolinha picadas.
- ✓ O tofu soft deixa o molho mais cremoso.
- ✓ Utilize shoyu sem glúten se você tiver intolerância.

Esta receita é rica em: cálcio; manganês.

INFORMAÇÃO NUTRICIONAL	TOTAL	PORÇÃO
CALORIAS (KCAL)	94,4	47,2
PROTEÍNA (G)	10,1	5
GORDURA TOTAL (G)	5,6	2,8
Saturada (g)	0,9	0,5
Monoinsaturada (g)	3,7	1,8
Poli-insaturada (g)	0,9	0,5
Ômega-6 (g)	0	0
Ômega-3 (g)	0	0
CARBOIDRATO (G)	3,8	1,9
Fibra (g)	0,3	0,1
MINERAIS		
Cálcio (mg)	165	82,5
Ferro (mg)	2,1	1,1
Magnésio (mg)	56	28
Fósforo (mg)	142,1	71,1
Potássio (mg)	169,6	84,8
Sódio (mg)	684,4	342,2
Zinco (mg)	1	0,5
Cobre (mg)	0	0
Manganês (mg)	1	0,5
Selênio (mcg)	12	6
VITAMINAS		
C (mg)	2,3	1,2
B_1 (mg)	0	0
B_2 (mg)	0	0
B_3 (mg)	0,3	0,1
B_5 (mg)	0	0
B_6 (mg)	0	0
B_9 (ácido fólico) (mcg)	18,2	9,1
E (mg)	0	0
K (mcg)	0	0
Colina (mg)	3,5	1,8
Betacaroteno (mcg)	0,1	0,1
Luteína e zeaxantina (mcg)	0,4	0,2

Tahine

INGREDIENTES

½ colher (café) de missô (2 g)
1 colher (sobremesa) de suco de limão (4 g)
1 colher (sopa) de água (10 g)
1 colher (sobremesa) de tahine (14 g)

MODO DE PREPARO

1. Dissolva bem o missô no suco de limão e na água, e só então adicione o tahine.
2. Misture até ficar homogêneo e sirva.

RENDIMENTO: 1 porção.

SUGESTÃO:
✓ Você pode acrescentar gergelim preto e pimenta, se gostar.

Esta receita é rica em: ômega-6; fósforo.

INFORMAÇÃO NUTRICIONAL	TOTAL	PORÇÃO
CALORIAS (KCAL)	88,4	88,4
PROTEÍNA (G)	2,7	2,7
GORDURA TOTAL (G)	7,7	7,7
Saturada (g)	1,1	1,1
Monoinsaturada (g)	2,8	2,8
Poli-insaturada (g)	3,4	3,4
Ômega-6 (g)	3,2	3,2
Ômega-3 (g)	0	0
CARBOIDRATO (G)	3,8	3,8
Fibra (g)	1,5	1,5
MINERAIS		
Cálcio (mg)	61,8	61,8
Ferro (mg)	1,3	1,3
Magnésio (mg)	14,6	14,6
Fósforo (mg)	106,3	106,3
Potássio (mg)	67,7	67,7
Sódio (mg)	90,7	90,7
Zinco (mg)	0,8	0,8
Cobre (mg)	0,3	0,3
Manganês (mg)	0,2	0,2
Selênio (mcg)	0,4	0,4
VITAMINAS		
C (mg)	2,1	2,1
B_1 (mg)	0,1	0,1
B_2 (mg)	0	0
B_3 (mg)	0,7	0,7
B_5 (mg)	0,1	0,1
B_6 (mg)	0	0
B_9 (ácido fólico) (mcg)	14,5	14,5
E (mg)	0	0
K (mcg)	0,6	0,6
Colina (mg)	5,3	5,3
Betacaroteno (mcg)	6,8	6,8
Luteína e zeaxantina (mcg)	0,4	0,4

Molho de manjericão

INGREDIENTES

2 xícaras (chá) cheias de manjericão (52 g)
1¼ xícara (chá) de azeite de oliva (214 g)
1 colher (chá) rasa de sal marinho (6 g)

MODO DE PREPARO

1. Use apenas as folhas do manjericão, sem os talos ou os cabinhos.
2. Coloque-as no liquidificador junto com o azeite e o sal.
3. Bata bem, até ficar um creme (se desejar, deixe alguns pedaços menos picados). Sirva frio.

RENDIMENTO: 1½ xícara (30 colheres de sopa).

SUGESTÕES:
✓ Se desejar, após regar a salada com este molho, polvilhe-a com nozes picadas.
✓ Use este molho também para massas; é uma ótima combinação.

Esta receita é rica em: gordura monoinsaturada;gordura poli--insaturada; vitamina K.

INFORMAÇÃO NUTRICIONAL	TOTAL	PORÇÃO
CALORIAS (KCAL)	1.904,6	63,5
PROTEÍNA (G)	1,8	0,1
GORDURA TOTAL (G)	214,4	7,1
Saturada (g)	30	1
Monoinsaturada (g)	156,3	5,2
Poli-insaturada (g)	23,8	0,8
Ômega-6 (g)	21,4	0,7
Ômega-3 (g)	2,1	0,1
CARBOIDRATO (G)	1,5	0
Fibra (g)	0,9	0
MINERAIS		
Cálcio (mg)	101,3	3,4
Ferro (mg)	3,9	0,1
Magnésio (mg)	35,8	1,2
Fósforo (mg)	31,4	1
Potássio (mg)	167,3	5,6
Sódio (mg)	6,5	0,2
Zinco (mg)	0,5	0
Cobre (mg)	0,2	0
Manganês (mg)	0,6	0
Selênio (mcg)	0,2	0
VITAMINAS		
C (mg)	10,1	0,3
B_1 (mg)	0	0
B_2 (mg)	0	0
B_3 (mg)	0,5	0
B_5 (mg)	0,1	0
B_6 (mg)	0,1	0
B_9 (ácido fólico) (mcg)	38,1	1,3
E (mg)	30,4	1
K (mcg)	360,7	12
Colina (mg)	6,4	0,2
Betacaroteno (mcg)	1.759,5	58,7
Luteína e zeaxantina (mcg)	3.164	105,5

Cores e texturas variadas, em receitas nutritivas e balanceadas, temperadas com uma profusão de ervas e especiarias. Uma explosão de sabores.

PRATOS PRINCIPAIS

Risoto de legumes com castanhas

INGREDIENTES

- 1 xícara (chá) cheia de arroz integral (188 g)
- 4 xícaras (chá) de água (800 ml)
- 1 tomate grande (180 g)
- 1 flor média de brócolis (46 g)
- 4 castanhas grandes (caju ou pará) (20 g)
- 1 cebolinha-verde grande (6 g)
- ½ cenoura média (74 g)
- 1 colher (chá) de gengibre fresco (6 g)
- ½ alho-poró médio (60 g)
- 3 colheres (sopa) de azeitonas pretas (66 g)
- ½ bandeja de cogumelos shimeji (92 g)
- 1 colher (sopa) de azeite de oliva (10 g)
- 2 colheres (sopa) de sementes de gergelim (20 g)
- 2 colheres (café) cheias de curry em pó (2 g)
- 2 colheres (café) rasas de sal marinho (4 g)

MODO DE PREPARO

1. Coloque o arroz e a água em uma panela. Leve ao fogo e cozinhe por cerca de 45 minutos.
2. Retire a pele e as sementes do tomate e corte-o em quadradinhos. Use esse mesmo corte para os brócolis, as castanhas e a cebolinha-verde. Rale a cenoura e o gengibre. Corte o alho-poró e as azeitonas (descaroçadas) em rodelas bem finas. Apenas separe os cogumelos em buquezinhos. Em outra panela, aqueça o azeite. Adicione os legumes e refogue-os rapidamente até que fiquem al dente.
3. Acrescente os legumes refogados e o restante dos ingredientes ao arroz cozido. Misture bem.
4. Sirva ainda quente.

RENDIMENTO: 4 porções (½ xícara)

SUGESTÃO:

✓ Para fazer o risoto na panela elétrica de arroz, use 1 xícara (chá) de arroz para 2½ xícaras (chá) de água; se for na panela de pressão, utilize 1 xícara (chá) de arroz para 2 xícaras (chá) de água e cozinhe por 20 minutos (a contar do momento em que a panela começa a apitar).

INFORMAÇÃO NUTRICIONAL	TOTAL	PORÇÃO
CALORIAS (KCAL)	**1.241,9**	**310,5**
PROTEÍNA (G)	**29,1**	**7,3**
GORDURA TOTAL (G)	**46,4**	**11,6**
Saturada (g)	8,4	2,1
Monoinsaturada (g)	23,1	5,8
Poli-insaturada (g)	12,2	3
Ômega-6 (g)	11,9	3
Ômega-3 (g)	0,17	0 4
CARBOIDRATO (G)	**188,3**	**47,1**
Fibra (g)	19,3	4,8
MINERAIS		
Cálcio (mg)	458,7	114,7
Ferro (mg)	11,5	2,9
Magnésio (mg)	496,6	124,1
Fósforo (mg)	999,9	250
Potássio (mg)	1.479,1	369,8
Sódio (mg)	2.232,8	558,2
Zinco (mg)	7	1,8
Cobre (mg)	2,8	0,7
Manganês (mg)	8,7	2,2
Selênio (mcg)	392,1	98
VITAMINAS		
C (mg)	80,6	20,2
B_1 (mg)	0,5	0,1
B_2 (mg)	0,2	0,1
B_3 (mg)	15,4	3,9
B_5 (mg)	3,8	1
B_6 (mg)	2,5	0,6
B_9 (ácido fólico) (mcg)	189	47,2
E (mg)	7,5	1,9
K (mcg)	118,6	29,6
Colina (mg)	48,1	12
Betacaroteno (mcg)	8018,3	2.004,6
Luteína e zeaxantina (mcg)	2.552,2	638,1

Esta receita é rica em: ferro; selênio; magnésio; fósforo; cobre; vitaminas B_1, B_3, B_5, B_6, C e K; betacaroteno.

Grão-de-bico com abobrinha e cenoura

INGREDIENTES

1 xícara (chá) de grão-de-bico (150 g)
4 xícaras (chá) de água (800 ml)
½ cenoura média (88 g)
½ abobrinha média (152 g)
1 colher (chá) cheia de sal marinho (10 g)
3 colheres (café) cheias de curry (2 g)
1 colher (café) de açafrão em pó
1 colher (café) rasa de páprica picante

MODO DE PREPARO

1. Cubra o grão-de-bico com bastante água e deixe-o de molho por 8 horas.
2. Escorra a água em que ele ficou de molho e jogue-a fora.
3. Coloque o grão-de-bico na panela de pressão e acrescente nova água (800 ml). Leve ao fogo e cozinhe por 10 minutos (a contar do momento em que a panela começar a apitar).
4. Corte a cenoura e a abobrinha em fatias bem finas.
5. Depois que o grão-de-bico tiver cozinhado por 10 minutos, abra a panela. Adicione o restante dos ingredientes e deixe cozinhar, sem pressão, por mais 5 ou 10 minutos (o grão-de-bico não deve desmanchar).
6. Sirva a seguir.

RENDIMENTO: 4 porções (conchas).

SUGESTÃO:
✓ Se desejar um caldo cremoso, moa, com o mixer, um pouco do grão-de-bico com parte da água do cozimento, ou bata no liquidificador.

Esta receita é rica em: proteína; ferro; fibra; magnésio; fósforo; potássio; zinco; cobre; manganês; vitaminas B_5, B_6 e B_9 (ácido fólico); betacaroteno; colina.

INFORMAÇÃO NUTRICIONAL	TOTAL	PORÇÃO
CALORIAS (KCAL)	606,4	151,6
PROTEÍNA (G)	30,9	7,7
GORDURA TOTAL (G)	9	2,3
Saturada (g)	1,5	0,4
Monoinsaturada (g)	1,5	0,4
Poli-insaturada (g)	4,5	1,1
Ômega-6 (g)	4,5	1,1
Ômega-3 (g)	0	0
CARBOIDRATO (G)	104,9	26,2
Fibra (g)	29,7	7,4
MINERAIS		
Cálcio (mg)	210,8	52,7
Ferro (mg)	9	2,3
Magnésio (mg)	209	52,2
Fósforo (mg)	637,6	159,4
Potássio (mg)	1.992,8	498,2
Sódio (mg)	2.437,4	609,4
Zinco (mg)	4,5	1,1
Cobre (mg)	1,5	0,4
Manganês (mg)	3	0,8
Selênio (mcg)	12	3
VITAMINAS		
C (mg)	37,1	9,3
B_1 (mg)	0	0
B_2 (mg)	0	0
B_3 (mg)	3,9	1
B_5 (mg)	3	0,8
B_6 (mg)	1,5	0,4
B_9 (ácido fólico) (mcg)	896,3	224,1
E (mg)	2,4	0,6
K (mcg)	31	7,8
Colina (mg)	165,6	41,4
Betacaroteno (mcg)	7.533,2	1.883,3
Luteína e zeaxantina (mcg)	3.455,3	863,8

Moqueca de banana

INGREDIENTES

2 bananas-da-terra bem maduras (320 g)
2 colheres (sopa) rasas de azeite de dendê (16 g)
1 alho-poró médio (só a parte branca) (94 g)
2 colheres (café) cheias de urucum em pó (2 g)
2 colheres (café) rasas de cúrcuma em pó (2 g)
3 colheres (café) cheias de gengibre em pó (2 g)
3 colheres (café) cheias de coentro em grão (2 g)
1 colher (café) rasa de sal marinho (2 g)
1 xícara (chá) de leite de coco (200 ml)
folhas de coentro fresco a gosto

MODO DE PREPARO

1. Corte as bananas-da-terra em fatias finas e cozinhe no vapor por apenas 5 minutos ou até que fiquem al dente.
2. À parte, aqueça o azeite de dendê em fogo médio e refogue o alho-poró com as especiarias e o sal.
3. Acrescente as bananas cozidas e o leite de coco. Tampe a panela e deixe cozinhar mais um pouco em fogo baixo.
4. Desligue o fogo e coloque as folhas de coentro por cima.
5. Sirva em seguida.

RENDIMENTO: 2 porções (conchas).

SUGESTÃO:
✓ Você também pode fazer esta moqueca com outro tipo de banana.

Esta receita é rica em: magnésio, potássio; vitamina K.

INFORMAÇÃO NUTRICIONAL	TOTAL	PORÇÃO
CALORIAS (KCAL)	**945,6**	**472,8**
PROTEÍNA (G)	**9,3**	**4,6**
GORDURA TOTAL (G)	**64**	**32**
Saturada (g)	50,2	25,1
Monoinsaturada (g)	8	4
Poli-insaturada (g)	2,2	1,1
Ômega-6 (g)	0	0
Ômega-3 (g)	0	0
CARBOIDRATO (G)	**98,4**	**49,2**
Fibra (g)	15,8	7,9
MINERAIS		
Cálcio (mg)	105,6	52,8
Ferro (mg)	5,3	2,7
Magnésio (mg)	188,1	94,1
Fósforo (mg)	304,9	152,5
Potássio (mg)	1.859,7	929,8
Sódio (mg)	828,3	414,2
Zinco (mg)	1,5	0,7
Cobre (mg)	0,7	0,3
Manganês (mg)	2,3	1,1
Selênio (mcg)	16,6	8,3
VITAMINAS		
C (mg)	46,3	23,2
B_1 (mg)	0,1	0,1
B_2 (mg)	0	0
B_3 (mg)	5,1	2,6
B_5 (mg)	0,5	0,3
B_6 (mg)	0,3	0,1
B_9 (ácido fólico) (mcg)	157,6	78,8
E (mg)	3,8	1,9
K (mcg)	51,9	25,9
Colina (mg)	58,8	29,4
Betacaroteno (mcg)	1.101,8	550,9
Luteína e zeaxantina (mcg)	1.873,7	936,9

INGREDIENTES

MASSA

½ xícara (chá) de farinha de trigo integral (64 g)
½ xícara (chá) de quinoa em flocos (46 g)
1 folha grande de couve-manteiga (26 g)
1½ xícara (chá) de leite de soja para uso culinário (300 ml)
1 colher (café) rasa de sal marinho (2 g)

RECHEIO

½ tofu (300 g)
1 cenoura grande (182 g)
15 azeitonas pretas grandes (94 g)
1 alho-poró bem pequeno (30 g)
1 espiga de milho grande (334 g)
1 tomate pequeno (126 g)
½ bandeja de cogumelos shimeji (132 g)
1 colher (sopa) de azeite de oliva (10 g)
1 colher (café) cheia de sal marinho (4 g)

Panqueca verde

MODO DE PREPARO

1. Coloque todos os ingredientes da massa no liquidificador. Bata até ficar com uma consistência bem líquida e homogênea.
2. Unte uma frigideira média com pouco óleo, espalhando-o com um pincel. Leve-a ao fogo médio para aquecer.
3. Coloque um pouco da massa no centro da frigideira e gire-a para os lados até a massa cobrir todo o fundo. Deixe cozinhar até que ela se solte do fundo e então vire-a para dourar do outro lado. Repita o processo até que a massa termine.
4. Coloque a espiga de milho com um pouco de água na panela de pressão. Leve-a ao fogo e cozinhe por 30 minutos (a contar do momento em que a panela começar a apitar).
5. Rale a cenoura, pique o tofu, o tomate (sem sementes) e os cogumelos em cubinhos, e corte o alho-poró e as azeitonas (descaroçadas) em fatias finas.
6. Depois do milho cozido, retire os grãos da espiga com o auxílio de uma faca.
7. Aqueça ligeiramente o azeite em uma panela e refogue todos os ingredientes do recheio por 5 minutos.
8. Coloque um pouco do recheio no centro de cada círculo de massa e enrole, formando rolinhos.
9. Ponha as panquecas em um refratário e leve-as ao forno alto (230°C), preaquecido, por 20 minutos.

RENDIMENTO: 8 porções (unidades).

SUGESTÃO:

✓ Você pode colocar por cima o molho de sua preferência.

Esta receita é rica em: proteína; fibra; cálcio; ferro; magnésio; fósforo; potássio; zinco; cobre; manganês; selênio; vitaminas K e do complexo B; betacaroteno.

INFORMAÇÃO NUTRICIONAL	TOTAL	PORÇÃO
CALORIAS (KCAL)	**1.559,6**	**194,9**
PROTEÍNA (G)	**80,7**	**10,1**
GORDURA TOTAL (G)	**62,1**	**7,8**
Saturada (g)	8,7	1,1
Monoinsaturada (g)	34,1	4,3
Poli-insaturada (g)	16,8	2,1
Ômega-6 (g)	6,1	0,8
Ômega-3 (g)	0,1	0
CARBOIDRATO (G)	**203,4**	**25,4**
Fibra (g)	32,4	4,1
MINERAIS		
Cálcio (mg)	1.509,9	188,7
Ferro (mg)	15,1	1,9
Magnésio (mg)	499,1	62,4
Fósforo (mg)	1.317,2	164,7
Potássio (mg)	2.969,2	371,1
Sódio (mg)	3.386,2	423,3
Zinco (mg)	10,6	1,3
Cobre (mg)	1,7	0,2
Manganês (mg)	93,9	11,7
Selênio (mcg)	94,9	11,9
VITAMINAS		
C (mg)	83,1	10,4
B_1 (mg)	0,2	0
B_2 (mg)	0,3	0
B_3 (mg)	18,1	2,3
B_5 (mg)	5,7	0,7
B_6 (mg)	0,6	0,1
B_9 (ácido fólico) (mcg)	332,3	41,5
E (mg)	8,7	1,1
K (mcg)	269,7	33,7
Colina (mg)	186,4	23,3
Betacaroteno (mcg)	18.793,3	2.349,2
Luteína e zeaxantina (mcg)	15.195,1	1.899,4

Canoas de endívia com ervilha

INGREDIENTES

1 xícara (chá) de ervilhas partidas (182 g)
3 xícaras (chá) de água (600 ml)
2 colheres (café) cheias de gengibre em pó (2 g)
1 colher (chá) rasa de sal marinho (4 g)
2 colheres (sopa) cheias de coco fresco ralado (50 g)
1 colher (chá) cheia de gengibre fresco ralado (10 g)
4 colheres (sopa) de xerém de castanha-de-caju (100 g)
2 pés de endívia médios (176 g)

MODO DE PREPARO

1. Coloque as ervilhas, a água, o gengibre em pó e o sal na panela de pressão. Leve ao fogo e cozinhe por 10 minutos (a contar do momento em que a panela começar a apitar).
2. À parte, junte o coco e o gengibre ralados ao xerém de castanha-de-caju. Misture bem e espalhe em uma assadeira. Leve ao forno alto (250°C), pre-aquecido, e asse por cerca de 15 minutos, ou até que o coco fique dourado.
3. Disponha, em uma travessa, as folhas de endívia voltadas para cima (como canoas). Recheie as canoas de endívia com o creme de ervilha e, por cima, acrescente a farofa de coco e castanhas-de-caju.
4. Sirva em seguida.

RENDIMENTO: 6 porções (canoas).

Esta receita é rica em: proteína; ômega-6; fibra; ferro; magnésio; fósforo; potássio; zinco; cobre; manganês; selênio; vitaminas B_1, B_5, B_9 (ácido fólico); colina.

INFORMAÇÃO NUTRICIONAL	TOTAL	PORÇÃO
CALORIAS (KCAL)	**1.463,6**	**243,9**
PROTEÍNA (G)	**67,4**	**11,2**
GORDURA TOTAL (G)	**64**	**10,7**
Saturada (g)	23,8	4
Monoinsaturada (g)	24,8	4,1
Poli-insaturada (g)	8,4	1,4
Ômega-6 (g)	8	1,3
Ômega-3 (g)	0	0
CARBOIDRATO (G)	**171,1**	**28,5**
Fibra (g)	58,3	9,7
MINERAIS		
Cálcio (mg)	239	39,8
Ferro (mg)	46,8	7,8
Magnésio (mg)	557,9	93
Fósforo (mg)	1366	227,7
Potássio (mg)	3.216,7	536,1
Sódio (mg)	1.760,9	293,5
Zinco (mg)	13,8	2,3
Cobre (mg)	4,2	0,7
Manganês (mg)	5,8	1
Selênio (mcg)	32,4	5,4
VITAMINAS		
C (mg)	16	2,7
B_1 (mg)	2	0,3
B_2 (mg)	0,1	0
B_3 (mg)	7,5	1,2
B_5 (mg)	6,6	1,1
B_6 (mg)	0,2	0
B_9 (ácido fólico) (mcg)	778,9	129,8
E (mg)	2	0,3
K (mcg)	466,2	77,7
Colina (mg)	217,4	36,2
Betacaroteno (mcg)	2.450	408,3
Luteína e zeaxantina (mcg)	22	3,7

Kofta de pepino com molho de coco

INGREDIENTES

2 pepinos médios (304 g)
1 xícara (chá) de farinha de trigo integral (122 g)
½ xícara (chá) de gérmen de trigo tostado (56 g)
1 colher (café) rasa de sal marinho (2 g)
1 colher (café) de noz-moscada ralada
1 colher (café) de cominho em pó (2 g)
1 colher (café) de cúrcuma em pó (2 g)
1 colher (café) de coentro em pó (2 g)
1 colher (café) de gengibre em pó (2 g)

MOLHO

1 cebola pequena (136 g)
½ pacote de coco ralado seco ou fresco (25 g)
1 vidro de leite de coco (200 ml)
1 colher (café) rasa de pimenta líquida
2 colheres (café) cheias de mostarda em grão (2 g)

MODO DE PREPARO

1. Rale o pepino (deixe seu suco para dar liga) e coloque-o em uma vasilha. Acrescente a farinha de trigo, o gérmen de trigo, o sal e o restante dos temperos. Misture até obter uma massa homogênea.
2. Forme bolinhas com as mãos e acomode-as em um refratário ligeiramente untado com óleo. Leve ao forno alto (230ºC), preaquecido, e asse por cerca de 15 minutos.
3. Rale a cebola e coloque-a em uma panela. Adicione o coco ralado e o sal e fique mexendo. Quando estiver fervendo, misture o leite de coco. Acrescente a kofta assada e deixe no fogo até o molho encorpar.
4. Sirva quente.

RENDIMENTO: 15 porções (bolinhas).

SUGESTÃO:

✓ Se desejar que o molho fique mais líquido, ou aumentar a sua quantidade, acrescente um pouco de água (cerca de 100 ml).

INFORMAÇÃO NUTRICIONAL	TOTAL	PORÇÃO
CALORIAS (KCAL)	**660,7**	**165,2**
PROTEÍNA (G)	**33,4**	**8,3**
GORDURA TOTAL (G)	**8,4**	**2,1**
Saturada (g)	1,2	0,3
Monoinsaturada (g)	0,7	0,2
Poli-insaturada (g)	4,6	1,2
Ômega-6 (g)	4	1
Ômega-3 (g)	0,6	0,1
CARBOIDRATO (G)	**125,9**	**31,5**
Fibra (g)	25,8	6,4
MINERAIS		
Cálcio (mg)	118,9	29,7
Ferro (mg)	8,9	2,2
Magnésio (mg)	345,7	86,4
Fósforo (mg)	967,1	241,8
Potássio (mg)	1.467,2	366,8
Sódio (mg)	797,2	199,3
Zinco (mg)	10,5	2,6
Cobre (mg)	0,6	0,1
Manganês (mg)	12,3	3,1
Selênio (mcg)	131,3	32,8
VITAMINAS		
C (mg)	10,5	2,6
B_1 (mg)	1,1	0,3
B_2 (mg)	0	0
B_3 (mg)	11,4	2,8
B_5 (mg)	2,4	0,6
B_6 (mg)	0,6	0,1
B_9 (ácido fólico) (mcg)	259,4	64,8
E (mg)	1,8	0,4
K (mcg)	38,1	9,5
Colina (mg)	58,4	14,6
Betacaroteno (mcg)	269,4	67,3
Luteína e zeaxantina (mcg)	351,6	87,9

Esta receita é rica em: fibra; magnésio; fósforo; potássio; zinco; manganês; selênio; vitaminas B_1, B_3, B_5, B_9 (ácido fólico) e K.

Batata suíça

INGREDIENTES

1 batata média (de casca vermelha) (274 g)
1 cebola pequena (148 g)
1 colher (café) rasa de sal marinho (2 g)
pimenta-do-reino moída a gosto
azeite de oliva suficiente para untar a frigideira

MODO DE PREPARO

1. Descasque a batata, rale-a e esprema bem para eliminar o suco. Descasque a cebola e pique-a bem miudinho.
2. Coloque a batata e a cebola em uma vasilha. Adicione o sal e tempere com pimenta. Misture todos os ingredientes até que fiquem bem ligados.
3. Leve ao fogo uma frigideira untada com um fio de azeite. Acrescente a mistura de batata e alise-a bem, pressionando com as costas de uma colher. Tampe e deixe cozinhar por cerca de 7 minutos. Vire do outro lado e cozinhe por mais 7 minutos.
4. Sirva em seguida.

RENDIMENTO: 1 porção.

SUGESTÕES:

✓ Se preferir, você pode acrescentar mais especiarias, como curry, páprica ou mostarda.

Esta receita é rica em: magnésio; fósforo; potássio; manganês.

INFORMAÇÃO NUTRICIONAL	TOTAL	PORÇÃO
CALORIAS (KCAL)	**218,1**	**218,1**
PROTEÍNA (G)	**9,7**	**9,7**
GORDURA TOTAL (G)	**0**	**0**
Saturada (g)	0	0
Monoinsaturada (g)	0	0
Poli-insaturada (g)	0	0
Ômega-6 (g)	0	0
Ômega-3 (g)	0	0
CARBOIDRATO (G)	**46,2**	**46,2**
Fibra (g)	8,4	8,4
MINERAIS		
Cálcio (mg)	116,7	116,7
Ferro (mg)	8,2	8,2
Magnésio (mg)	77,8	77,8
Fósforo (mg)	147	147
Potássio (mg)	1.347,9	1.347,9
Sódio (mg)	808,5	808,5
Zinco (mg)	0	0
Cobre (mg)	0	0
Manganês (mg)	2,7	2,7
Selênio (mcg)	0	0
VITAMINAS		
C (mg)	40,5	40,5
B_1 (mg)	0	0
B_2 (mg)	0	0
B_3 (mg)	2,7	2,7
B_5 (mg)	0	0
B_6 (mg)	0	0
B_9 (ácido fólico) (mcg)	74,7	74,7
E (mg)	0	0
K (mcg)	0	0
Colina (mg)	8,9	8,9
Betacaroteno (mcg)	1,5	1,5
Luteína e zeaxantina (mcg)	5,9	5,9

Cuscuz

INGREDIENTES

1 xícara (chá) de cuscuz marroquino (sêmola de grão duro) (144 g)
2 xícaras (chá) de água (400 ml)
½ pimentão verde pequeno (52 g)
½ pimentão vermelho pequeno (54 g)
½ pimentão amarelo pequeno (60 g)
½ abobrinha média (130 g)
10 azeitonas pretas (62 gramas)
1 tomate médio (118 g)
1 colher (sopa) cheia de azeite de oliva (10 g)
1 colher (chá) rasa de sal marinho (4 g)

MODO DE PREPARO

1. Coloque a água em uma panela e leve-a ao fogo para ferver. Acrescente o cuscuz, misture e desligue o fogo. Tampe a panela e deixe descansar por 7 minutos.
2. Pique os três tipos de pimentão e a abobrinha em cubos bem pequenos. Corte as azeitonas (descaroçadas) em rodelas finas. Retire as sementes do tomate e pique-o também em cubinhos.
3. Aqueça o azeite em uma panela e acrescente os pimentões, a abobrinha, as azeitonas e o sal. Deixe refogar até que fiquem al dente.
4. Adicione o refogado de legumes e o tomate picado ao cuscuz. Misture bem e sirva em seguida.

RENDIMENTO: 8 porções.

SUGESTÕES:

✓ Palmito, milho e ervilhas frescas também são ótimas opções para acrescentar ao cuscuz.

✓ Para diminuir o sódio das azeitonas, coloque-as de molho e troque a água duas vezes.

Esta receita é rica em: vitamina C; betacaroteno; potássio; selênio.

INFORMAÇÃO NUTRICIONAL	TOTAL	PORÇÃO
CALORIAS (KCAL)	**414,5**	**51,8**
PROTEÍNA (G)	**10,2**	**1,3**
GORDURA TOTAL (G)	**17,1**	**2,1**
Saturada (g)	2,1	0,3
Monoinsaturada (g)	12,3	1,5
Poli-insaturada (g)	1,8	0,2
Ômega-6 (g)	1,6	0,2
Ômega-3 (g)	0,1	0
CARBOIDRATO (G)	**55,7**	**7**
Fibra (g)	8,5	1,1
MINERAIS		
Cálcio (mg)	110,1	13,8
Ferro (mg)	2,5	0,3
Magnésio (mg)	69	8,6
Fósforo (mg)	154,4	19,3
Potássio (mg)	1.059,4	132,4
Sódio (mg)	2.123,9	265,5
Zinco (mg)	0,4	0
Cobre (mg)	1,2	0,2
Manganês (mg)	0,1	0
Selênio (mcg)	40,2	5
VITAMINAS		
C (mg)	250,5	31,3
B_1 (mg)	0,1	0
B_2 (mg)	0	0
B_3 (mg)	4,3	0,5
B_5 (mg)	0,5	0,1
B_6 (mg)	0,1	0
B_9 (ácido fólico) (mcg)	153,4	19,2
E (mg)	7,3	0,9
K (mcg)	29,7	3,7
Colina (mg)	42,2	5,3
Betacaroteno (mcg)	3.528,6	441,1
Luteína e zeaxantina (mcg)	3.344,5	418,1

Estrogonofe de legumes

INGREDIENTES

1 cenoura média (144 g)
10 vagens grandes (100 g)
1 abobrinha pequena (200 g)
1 tomate médio sem pele e sem sementes (158 g)
1 bandeja de cogumelos-de-paris frescos (ou shimeji) (200 g)
1 colher (sopa) de azeite de oliva (10 g)
2 dentes de alho pequenos (4 g)
2 fatias médias de tofu (200 g)
1 xícara (chá) de água (200 ml)
1 colher (chá) de suco de limão (6 g)
2 colheres (sopa) cheias de molho de tomate natural (90 g)
½ colher (sopa) de sal marinho (6 g)
1 colher (café) rasa de pimenta líquida

MODO DE PREPARO

1. Corte todos os legumes em cubos pequenos e tire as pontas das vagens (puxando o fio junto).
2. Cozinhe a cenoura e a vagem no vapor por 10 minutos ou até que fiquem al dente.
3. Aqueça o azeite em uma panela e doure o alho amassado. Adicione a abobrinha e o tomate, e refogue por 5 minutos.
4. Bata o tofu e a água no liquidificador. Vá acrescentando a água aos poucos, até formar um creme (substitui o creme de leite industrial).
5. Adicione ao refogado da panela o molho de tomate, os cogumelos frescos, os legumes cozidos no vapor, o sal e o creme de tofu. Deixe aquecer um pouco e sirva em seguida.

RENDIMENTO: 4 porções (conchas).

SUGESTÃO:
- ✓ Quando for aquecer novamente, você pode acrescentar um pouco de água, pois o tofu frio deixa o estrogonofe mais consistente.

Esta receita é rica em: cálcio; magnésio; fósforo; potássio; cobre; manganês; vitaminas C, B_3, B_5 e B_9 (ácido fólico); betacaroteno.

INFORMAÇÃO NUTRICIONAL	TOTAL	PORÇÃO
CALORIAS (KCAL)	**609,1**	**152,3**
PROTEÍNA (G)	**39**	**9,7**
GORDURA TOTAL (G)	**26,2**	**6,5**
Saturada (g)	3,7	0,9
Monoinsaturada (g)	16,8	4,2
Poli-insaturada (g)	3,4	0,9
Ômega-6 (g)	1,2	0,3
Ômega-3 (g)	0,1	0
CARBOIDRATO (G)	**72**	**18**
Fibra (g)	12,9	3,2
MINERAIS		
Cálcio (mg)	507,5	126,9
Ferro (mg)	7,8	1,9
Magnésio (mg)	266,3	66,6
Fósforo (mg)	825,2	206,3
Potássio (mg)	2.922,2	730,5
Sódio (mg)	2.910,3	727,6
Zinco (mg)	5,3	1,3
Cobre (mg)	2,1	0,5
Manganês (mg)	3,7	0,9
Selênio (mcg)	39,5	9,9
VITAMINAS		
C (mg)	83,4	20,8
B_1 (mg)	0,1	0
B_2 (mg)	0,5	0,1
B_3 (mg)	13,8	3,5
B_5 (mg)	3	0,8
B_6 (mg)	0,8	0,2
B_9 (ácido fólico) (mcg)	325,9	81,5
E (mg)	6,3	1,6
K (mcg)	49,8	12,4
Colina (mg)	56,1	14
Betacaroteno (mcg)	13.361,5	3.340,4
Luteína e zeaxantina (mcg)	4.839,5	1.209,9

Almôndegas de nozes

INGREDIENTES

½ xícara (chá) de nozes (40 g)
¼ de xícara (chá) de gérmen de trigo tostado (34 g)
¼ de xícara (chá) de água (50 ml)
1 dente de alho pequeno amassado (2 g)
1 colher (café) rasa de sal marinho (2 g)
1 colher (sopa) rasa de azeite de oliva (10 g)
1 colher (sopa) cheia de manjerona picada (2 g)
pimenta a gosto

MODO DE PREPARO

1 Triture as nozes no liquidificador. Coloque o restante dos ingredientes em uma vasilha e adicione as nozes trituradas. Misture até obter uma massa homogênea e modele as almôndegas.
2 Acomode-as em um refratário untado com um pouco de óleo. Leve ao forno alto (230°C), preaquecido, e asse 15-20 minutos ou até que estejam douradas.
3 Retire as almôndegas com cuidado e acrescente, por cima, o molho de sua preferência.

RENDIMENTO: 1 porção (5 almôndegas).

SUGESTÃO:
✓ Você pode servir este prato com molho vermelho, de ervas ou de manjericão.

INFORMAÇÃO NUTRICIONAL	TOTAL	PORÇÃO
CALORIAS (KCAL)	480,8	480,8
PROTEÍNA (G)	14,2	14,2
GORDURA TOTAL (G)	39,6	39,6
Saturada (g)	4,5	4,5
Monoinsaturada (g)	11,3	11,3
Poli-insaturada (g)	22	22
Ômega-6 (g)	17,9	17,9
Ômega-3 (g)	4	4
CARBOIDRATO (G)	25,2	25,2
Fibra (g)	8,1	8,1
MINERAIS		
Cálcio (mg)	96,5	96,5
Ferro (mg)	5	5
Magnésio (mg)	151,9	151,9
Fósforo (mg)	433,9	433,9
Potássio (mg)	518,4	518,4
Sódio (mg)	782,1	782,1
Zinco (mg)	5,4	5,4
Cobre (mg)	1,2	1,2
Manganês (mg)	5,8	5,8
Selênio (mcg)	29,2	29,2
VITAMINAS		
C (mg)	2,1	2,1
B_1 (mg)	0,7	0,7
B_2 (mg)	0	0
B_3 (mg)	2,9	2,9
B_5 (mg)	1,1	1,1
B_6 (mg)	0,8	0,8
B_9 (ácido fólico) (mcg)	140,3	140,3
E (mg)	1,8	1,8
K (mcg)	19,7	19,7
Colina (mg)	16,9	16,9
Betacaroteno (mcg)	101	101
Luteína e zeaxantina (mcg)	41,8	41,8

Esta receita é rica em: ômega-3; ômega-6; magnésio; fósforo; zinco; cobre; manganês; selênio.

Yakisoba

INGREDIENTES

¼ de pacote de macarrão integral liso ou de sua preferência (136 g)
7 xícaras (chá) de água (1,4 litro)
3 flores médias de brócolis (114 g)
2 flores médias de couve-flor (118 g)
1 pé de endívia médio (70 gramas)
½ pimentão vermelho (64 g)
½ pimentão amarelo (60 g)
1 cebola pequena (96 g)
1 fatia média de repolho-roxo (148 g)
1 cenoura média (192 g)
5 vagens médias (54 g)
1 colher (sopa) de azeite de oliva (10 g)
5 colheres (sopa) de shoyu (64 g)
2 colheres (sopa) de amido de milho (20 g)
2 xícaras (chá) de água (400 ml)
1 colher (café) cheia de sal marinho (4 g)

MODO DE PREPARO

1 Leve ao fogo 7 xícaras de água em uma panela e acrescente o macarrão integral quando ferver. Deixe cozinhar em fogo baixo por 20 minutos. Desligue o fogo, escorra e jogue água fria por cima (para interromper o cozimento). Reserve.
2 Corte os brócolis, a couve-flor, a endívia, os dois tipos de pimentão e a cebola em quadrados grandes. Corte o repolho em tiras finas, a cenoura em palitos e as vagens em diagonal.
3 Refogue por 5-10 minutos o azeite, os legumes picados e o shoyu.
4 Dissolva o amido de milho e o sal nas 2 xícaras de água e acrescente ao refogado da frigideira. Misture bem e deixe o molho engrossar. Só então incorpore o macarrão cozido. Deixe aquecer e sirva em seguida.

RENDIMENTO: 3 porções (pratos fundos).

SUGESTÕES:
✓ Adicione gengibre ralado depois de pronto – fica delicioso.
✓ Para eliminar o glúten da receita, use macarrão de arroz e shoyu sem glúten.

INFORMAÇÃO NUTRICIONAL	TOTAL	PORÇÃO
CALORIAS (KCAL)	988	329,3
PROTEÍNA (G)	41,1	13,7
GORDURA TOTAL (G)	10,7	3,6
Saturada (g)	1,4	0,5
Monoinsaturada (g)	7,3	2,4
Poli-insaturada (g)	2,5	0,8
Ômega-6 (g)	2,4	0,8
Ômega-3 (g)	0,1	0
CARBOIDRATO (G)	194,4	64,8
Fibra (g)	32,6	10,9
MINERAIS		
Cálcio (mg)	356,9	119
Ferro (mg)	9,6	3,2
Magnésio (mg)	357,3	119,1
Fósforo (mg)	813,1	271
Potássio (mg)	2.816,4	938,8
Sódio (mg)	5.438,9	1.813
Zinco (mg)	4,1	1,4
Cobre (mg)	0,1	0
Manganês (mg)	5,2	1,7
Selênio (mcg)	4,5	1,5
VITAMINAS		
C (mg)	394,2	131,4
B_1 (mg)	0,1	0
B_2 (mg)	0,2	0,1
B_3 (mg)	15	5
B_5 (mg)	4,5	1,5
B_6 (mg)	0,1	0
B_9 (ácido fólico) (mcg)	580,3	193,4
E (mg)	7,2	2,4
K (mcg)	446,5	148,8
Colina (mg)	145	48,3
Betacaroteno (mcg)	19.420,9	6.473,6
Luteína e zeaxantina (mcg)	2.241,4	747,1

Esta receita é rica em: fibra; cálcio; magnésio; fósforo; potássio; vitaminas C, B_3, B_5 e B_9 (ácido fólico); betacaroteno.

Kitchari de lentilha com massala indiana

INGREDIENTES

1 abobrinha grande (304 g)
1 cenoura grande (224 g)
1 fatia pequena de abóbora japonesa (130 g)
6 vagens (58 g)
5 xícaras(chá) de água (1 litro)
1 xícara (chá) rasa de lentilha (150 g)
1 xícara (chá) rasa de arroz integral (150 g)
1 colher (sopa) rasa de sal marinho (12 g)

MASSALA

1 colher (sopa) de azeite de oliva (10 g)
1 colher (café) cheia de pimenta líquida
1 colher (café) cheia de gengibre em pó
1 colher (café) cheia de cominho em pó
1 colher (café) cheia de coentro em pó
1 colher (café) cheia de cúrcuma em pó

MODO DE PREPARO

1 Corte os legumes em cubos pequenos e coloque-os na panela de pressão.
2 Adicione o restante dos ingredientes e deixe cozinhar por 20 minutos (a contar do momento em que a panela começar a apitar).
3 À parte, prepare a massala, e, enquanto ela ainda estiver quente, misture-a ao kitchari. Sirva em seguida.

MASSALA

Aqueça ligeiramente o azeite em uma frigideira e acrescente todos os condimentos. Deixe que dourem um pouco e em seguida, ainda quente, adicione ao kitchari.

RENDIMENTO: 9 porções (conchas).

SUGESTÕES:
✓ Este prato também pode ser feito com ervilhas partidas.
✓ A assa-fétida é um excelente tempero para se acrescentar, pois substitui o alho e a cebola.

INFORMAÇÃO NUTRICIONAL	TOTAL	PORÇÃO
CALORIAS (KCAL)	1.297,8	144,2
PROTEÍNA (G)	62,2	6,9
GORDURA TOTAL (G)	6,6	0,7
Saturada (g)	1,5	0,2
Monoinsaturada (g)	1,5	0,2
Poli-insaturada (g)	3	0,3
Ômega-6 (g)	-1,5	0,2
Ômega-3 (g)	61,5	6,8
CARBOIDRATO (G)	253,8	28,2
Fibra (g)	59,3	6,6
MINERAIS		
Cálcio (mg)	304,7	33,9
Ferro (mg)	17,5	1,9
Magnésio (mg)	510,9	56,8
Fósforo (mg)	1.398,4	155,4
Potássio (mg)	3.587,3	398,6
Sódio (mg)	4.866,7	540,7
Zinco (mg)	11,1	1,2
Cobre (mg)	1,5	0,2
Manganês (mg)	8,1	0,9
Selênio (mcg)	12,6	1,4
VITAMINAS		
C (mg)	85,1	9,5
B_1 (mg)	1,5	0,2
B_2 (mg)	0	0
B_3 (mg)	15,2	1,7
B_5 (mg)	4,5	0,5
B_6 (mg)	3	0,3
B_9 (ácido fólico) (mcg)	985,9	109,5
E (mg)	3,5	0,4
K (mcg)	50,1	5,6
Colina (mg)	205	22,8
Betacaroteno (mcg)	23.101,4	2.566,8
Luteína e zeaxantina (mcg)	8.983,4	998,2

Esta receita é rica em: proteína; ômega-3; ferro; magnésio; fósforo; potássio; zinco; cobre; manganês; vitamina B_9 (ácido fólico); colina; betacaroteno.

Nhoque de aveia e batata

INGREDIENTES

- 1 batata média (186 g)
- 1 xícara (chá) de farinha de aveia (100 g)
- ¼ de xícara (chá) de fécula de batata (28 g)
- ¼ de xícara (chá) de azeite de oliva (42 g)
- 1 colher (café) rasa de sal marinho (2 g)

MODO DE PREPARO

1. Descasque a batata e cozinhe-a em água fervente por 25 minutos. Amasse-a bem enquanto ainda estiver quente. Deixe esfriar por completo e misture-a aos outros ingredientes.
2. Trabalhe com as mãos até obter uma massa elástica e homogênea.
3. Divida a massa em pequenas porções. Role cada porção de massa em cima da bancada até obter um cordão fino e comprido. Corte-o em pedaços pequenos na transversal e leve-os para cozinhar em bastante água fervente.
4. Assim que a massa começar a subir, retire-a da água com uma escumadeira. Coloque o nhoque em uma travessa e sirva a seguir, com o molho de sua preferência.

RENDIMENTO: 2 porções (conchas).

SUGESTÕES:

- ✓ Você pode triturar uma folha de couve e colocá-la na massa, para que fique verde e mais saudável.
- ✓ Sirva com molho vermelho natural ou molho de manjericão (receita na p. 68) – ficará ótimo!

Esta receita é rica em: gordura monoinsaturada; gordura poli-insaturada; potássio; manganês; selênio; vitaminas B_1 e E.

INFORMAÇÃO NUTRICIONAL	TOTAL	PORÇÃO
CALORIAS (KCAL)	**983,1**	**491,6**
PROTEÍNA (G)	**22,5**	**11,3**
GORDURA TOTAL (G)	**51,1**	**25,5**
Saturada (g)	7,9	4
Monoinsaturada (g)	33,7	16,8
Poli-insaturada (g)	7,7	3,8
Ômega-6 (g)	7,2	3,6
Ômega-3 (g)	0,4	0,2
CARBOIDRATO (G)	**111,6**	**55,8**
Fibra (g)	11,4	5,7
MINERAIS		
Cálcio (mg)	129,9	65
Ferro (mg)	10,4	5,2
Magnésio (mg)	205	102,5
Fósforo (mg)	569,7	284,9
Potássio (mg)	1.420	710
Sódio (mg)	829	414,5
Zinco (mg)	3,2	1,6
Cobre (mg)	0,1	0
Manganês (mg)	5,9	3
Selênio (mcg)	34,3	17,2
VITAMINAS		
C (mg)	21,5	10,8
B_1 (mg)	1,1	0,5
B_2 (mg)	0	0
B_3 (mg)	3,8	1,9
B_5 (mg)	0,1	0,1
B_6 (mg)	0,2	0,1
B_9 (ácido fólico) (mcg)	70,6	35,3
E (mg)	7	3,5
K (mcg)	28,2	14,1
Colina (mg)	41,1	20,5
Betacaroteno (mcg)	0	0
Luteína e zeaxantina (mcg)	180	90

Feijoada de legumes

INGREDIENTES

1½ xícara (chá) de feijão-preto (hidratado) (246 g)
3½ xícaras (chá) de água (700 ml)
5 folhas grandes de louro
1 cenoura média (148 g)
1 fatia pequena de abóbora japonesa (120 g)
2 talos de salsão médios (110 g)
1 colher (sopa) rasa de sal marinho (12 g)

MODO DE PREPARO

1. Coloque o feijão, a água e as folhas de louro na panela de pressão.
2. Leve ao fogo e cozinhe por 15 minutos (a contar do momento em que a panela começar a apitar).
3. Corte a cenoura em diagonal, a abóbora em cubos pequenos e o salsão em fatias finas.
4. Abra a panela de pressão e acrescente os legumes picados e o sal. Leve novamente ao fogo e deixe cozinhar (na pressão) por mais 10 minutos.
5. Sirva quente.

RENDIMENTO: 7 porções (conchas).

SUGESTÕES:
- ✓ Para deixar o caldo mais grosso, moa com o mixer, ou bata no liquidificador, um pouco de feijão com o caldo.
- ✓ O salsão dá um sabor todo especial, por isso é opcional colocar alho e cebola.

Esta receita é rica em: proteína; fibra; ferro; magnésio; fósforo; potássio; cobre; zinco; manganês; vitaminas B_1 e B_9 (ácido fólico); colina; betacaroteno.

INFORMAÇÃO NUTRICIONAL	TOTAL	PORÇÃO
CALORIAS (KCAL)	**948,3**	**135,5**
PROTEÍNA (G)	**57,9**	**8,3**
GORDURA TOTAL (G)	**2,5**	**0,4**
Saturada (g)	0	0
Monoinsaturada (g)	0	0
Poli-insaturada (g)	2,5	0,4
Ômega-6 (g)	0	0
Ômega-3 (g)	0	0
CARBOIDRATO (G)	**177,8**	**25,4**
Fibra (g)	43,5	6,2
MINERAIS		
Cálcio (mg)	423,5	60,5
Ferro (mg)	13,5	1,9
Magnésio (mg)	465	66,4
Fósforo (mg)	996,9	142,4
Potássio (mg)	4.816,7	688,1
Sódio (mg)	4.854,6	693,5
Zinco (mg)	9,9	1,4
Cobre (mg)	2,5	0,4
Manganês (mg)	2,5	0,4
Selênio (mcg)	7,4	1,1
VITAMINAS		
C (mg)	23	3,3
B_1 (mg)	2,5	0,4
B_2 (mg)	0	0
B_3 (mg)	7,6	1,1
B_5 (mg)	2,5	0,4
B_6 (mg)	0	0
B_9 (ácido fólico) (mcg)	1.179,2	168,5
E (mg)	2,7	0,4
K (mcg)	67,1	9,6
Colina (mg)	191,9	27,4
Betacaroteno (mcg)	16.278,8	2.325,5
Luteína e zeaxantina (mcg)	2.490,2	355,7

INGREDIENTES

MASSA

1 xícara (chá) de farinha de trigo integral (118 g)
½ xícara (chá) de gérmen de trigo tostado(62 g)
1 colher (café) rasa de sal marinho (2 g)
½ xícara (chá) de leite de soja para uso culinário (110 ml)

RECHEIO

1 tofu (500 g)
¼ de xícara (chá) de shoyu (58 g)
1 alho-poró médio (238 g)
1 ramo médio de alecrim fresco
1 colher (sopa) de azeite de oliva (10 g)

Torta de alho-poró

MODO DE PREPARO

1. Coloque todos os ingredientes em uma vasilha e misture até obter uma massa homogênea.
2. Abra a massa com um rolo, formando um círculo de tamanho suficiente para cobrir o fundo e a lateral de um refratário redondo.
3. Unte esse refratário com um pouco de óleo e coloque a massa sobre ele. Aperte-a com a ponta dos dedos para modelar o fundo e a lateral, e retire o excesso de massa.
4. Leve ao forno alto (230°C), preaquecido, e deixe a massa selar por apenas 5 minutos.

RECHEIO

1. Corte o tofu em 8 fatias finas. Coloque-as em uma travessa, regue com o shoyu e deixe que descansem no molho por um tempo.
2. Corte o alho-poró em fatias bem finas e retire as folhinhas de alecrim do ramo.
3. Aqueça ligeiramente o azeite de oliva e refogue o alho-poró.
4. Depois que a massa estiver selada, disponha sobre ela uma camada do tofu com shoyu e polvilhe com um pouco de alecrim.
5. Cubra com uma camada de alho-poró refogado e torne a polvilhar com mais um pouco de alecrim.
6. Repita as camadas seguindo essa ordem e por último coloque o refogado de alho-poró. Para finalizar, polvilhe com mais um pouco de alecrim.
7. Leve ao forno alto (230°C), já aquecido, e asse por cerca de 30 minutos.

RENDIMENTO: 8 porções (fatias médias).

INFORMAÇÃO NUTRICIONAL	TOTAL	PORÇÃO
CALORIAS (KCAL)	**1.418,4**	**177,3**
PROTEÍNA (G)	**94,6**	**11,8**
GORDURA TOTAL (G)	**53**	**6,6**
Saturada (g)	8,7	1,1
Monoinsaturada (g)	29,8	3,7
Poli-insaturada (g)	13,6	1,7
Ômega-6 (g)	5,3	0,7
Ômega-3 (g)	0,7	0,1
CARBOIDRATO (G)	**169,9**	**21,2**
Fibra (g)	28,2	3,5
MINERAIS		
Cálcio (mg)	1.355,3	169,4
Ferro (mg)	24,7	3,1
Magnésio (mg)	667,6	83,5
Fósforo (mg)	1.766,1	220,8
Potássio (mg)	2.245,5	280,7
Sódio (mg)	4.164,5	520,6
Zinco (mg)	16,6	2,1
Cobre (mg)	1	0,1
Manganês (mg)	19,2	2,4
Selênio (mcg)	200,4	25,1
VITAMINAS		
C (mg)	28,6	3,6
B_1 (mg)	1,4	0,2
B_2 (mg)	0,2	0
B_3 (mg)	13,6	1,7
B_5 (mg)	2,9	0,4
B_6 (mg)	1,3	0,2
B_9 (ácido fólico) (mcg)	471,6	58,9
E (mg)	4,8	0,6
K (mcg)	120,2	15
Colina (mg)	69,8	8,7
Betacaroteno (mcg)	2.385,9	298,2
Luteína e zeaxantina (mcg)	4.781,6	597,7

Esta receita é rica em: proteína; fibra; ferro; cálcio; fósforo; zinco; manganês; selênio.

Sem açúcar refinado e com afeto.
Delícias doces e salgadas repletas
de fibras e gorduras saudáveis,
para deixar o dia mais feliz.

LANCHES E SOBREMESAS

Brownie

INGREDIENTES

½ xícara (chá) de cacau em pó (38 g)
½ xícara (chá) de fécula de batata (70 g)
1 xícara (chá) de farinha de trigo integral (114 g)
1½ xícara (chá) de açúcar mascavo (184 g)
¾ de xícara (chá) de nozes (70 g)
½ colher (chá) rasa de bicarbonato de sódio (4 g)
¼ de xícara (chá) de óleo de soja (46 g)
½ xícara (chá) de água de coco (102 g)
½ xícara (chá) de leite de soja para uso culinário (106 g)

COBERTURA

5 colheres (sopa) de cacau em pó (44 g)
10 colheres (sopa) de açúcar mascavo (136 g)
1 xícara (chá) rasa de água de coco (200 ml)

MODO DE PREPARO

1 Peneire o cacau, as farinhas e o açúcar, e coloque-os em uma mesma vasilha.
2 Pique as nozes em tamanho pequeno e adicione-as a essa vasilha.
3 Acrescente o bicarbonato, o óleo, a água de coco e o leite de soja.
4 Misture até ficar uma massa homogênea.
5 Unte uma fôrma e coloque a massa.
6 Leve ao forno médio (180°C), preaquecido, e asse por 40 minutos ou até que, ao espetar um palito no centro do brownie, ele saia seco.

COBERTURA

Peneire o cacau e o açúcar, e coloque em uma panela. Adicione a água de coco e leve ao fogo. Quando ferver abaixe o fogo e mexa até formar um creme. Coloque a cobertura sobre o brownie e sirva frio.

RENDIMENTO: 8 fatias médias.

SUGESTÃO:
✓ Você pode substituir a fécula da batata por ½ xícara (chá) de farinha de aveia ou farinha de banana verde.

INFORMAÇÃO NUTRICIONAL	TOTAL	PORÇÃO
CALORIAS (KCAL)	3.024	378
PROTEÍNA (G)	41	5,1
GORDURA TOTAL (G)	100,2	12,5
Saturada (g)	14,6	1,8
Monoinsaturada (g)	19,9	2,5
Poli-insaturada (g)	62,6	7,8
Ômega-6 (g)	50,7	6,3
Ômega-3 (g)	9,5	1,2
CARBOIDRATO (G)	515,4	64,4
Fibra (g)	25,2	3,2
MINERAIS		
Cálcio (mg)	839,3	104,9
Ferro (mg)	10	1,2
Magnésio (mg)	421,7	52,7
Fósforo (mg)	945,1	118,1
Potássio (mg)	3.079,3	384,9
Sódio (mg)	883,2	110,4
Zinco (mg)	6	0,7
Cobre (mg)	1,8	0,2
Manganês (mg)	5,2	0,6
Selênio (mcg)	61,8	7,7
VITAMINAS		
C (mg)	9,6	1,2
B_1 (mg)	0,7	0,1
B_2 (mg)	0,7	0,1
B_3 (mg)	9,2	1,2
B_5 (mg)	3	0,4
B_6 (mg)	1,4	0,2
B_9 (ácido fólico) (mcg)	225,9	28,2
A	23,2	2,9
E (mg)	5,4	0,7
K (mcg)	88,8	11,1
Colina (mg)	113,3	14,2
Betacaroteno (mcg)	11,7	1,4625
Luteína e zeaxantina (mcg)	155,6	19,45

Esta receita é rica em: proteína; ômega-6; ômega-3; cálcio; fósforo; potássio; selênio; manganês.

Barrinhas de cereais

INGREDIENTES

2 colheres (sopa) rasas de linhaça dourada (20 g)
5 colheres (sopa) de nozes (62 g)
5 ameixas-pretas sem caroço (46 g)
9 damascos secos (82 g)
1 banana média (98 g)
½ xícara (chá) de quinoa em flocos (44 g)
½ xícara (chá) de aveia em flocos (46 g)
2 colheres (sopa) de gergelim torrado (20 g)
1 colher (sopa) rasa de óleo (8 g)
4 colheres (sopa) de agave (64 g)

MODO DE PREPARO

1. Cubra a linhaça com água e deixe de molho por exatamente 15 minutos.
2. Pique as nozes, as ameixas e os damascos em pedaços pequenos e coloque em uma panela.
3. Amasse a banana com um garfo e coloque-a na mesma panela, junto com os demais ingredientes, inclusive a água em que a linhaça ficou de molho.
4. Mexa tudo e leve ao fogo por 5 minutos, apenas para dar liga.
5. Coloque a massa em uma fôrma untada com óleo. Alise-a com as costas de uma colher, pressionando levemente para que fique firme.
6. Com a ponta de uma faca risque a superfície da massa, demarcando o tamanho das barrinhas.
7. Leve ao forno médio (180°C), preaquecido, e asse por cerca de 30 minutos ou até dourar. Tire do forno para não ressecar e deixe esfriar. Corte as barrinhas seguindo as marcas feitas.

RENDIMENTO: 15 barrinhas pequenas.

SUGESTÕES:
- ✓ O agave pode ser substituído pelo melado, mas as barrinhas ficarão mais escuras.
- ✓ Você pode substituir as oleaginosas ou as frutas secas por outras.
- ✓ Para eliminar o glúten da receita, retire a aveia e aumente a quantidade de quinoa.

INFORMAÇÃO NUTRICIONAL	TOTAL	PORÇÃO
CALORIAS (KCAL)	1.525,4	101,7
PROTEÍNA (G)	34,4	2,3
GORDURA TOTAL (G)	73,9	4,9
Saturada (g)	8,3	0,6
Monoinsaturada (g)	18,7	1,2
Poli-insaturada (g)	42,8	2,9
Ômega-6 (g)	31,1	2,1
Ômega-3 (g)	10,3	0,7
CARBOIDRATO (G)	202,4	13,5
Fibra (g)	37,3	2,5
MINERAIS		
Cálcio (mg)	719,8	48
Ferro (mg)	15,5	1
Magnésio (mg)	497	33,1
Fósforo (mg)	996,8	66,5
Potássio (mg)	2.627,6	175,2
Sódio (mg)	39	2,6
Zinco (mg)	6,8	0,5
Cobre (mg)	2,1	0,1
Manganês (mg)	5,4	0,4
Selênio (mcg)	31,3	2,1
VITAMINAS		
C (mg)	10,9	0,7
B_1 (mg)	1,2	0,1
B_2 (mg)	0,1	0
B_3 (mg)	7,7	0,5
B_5 (mg)	2	0,1
B_6 (mg)	1	0,1
B_9 (ácido fólico) (mcg)	225	15
E (mg)	6,6	0,4
K (mcg)	42,1	2,8
Colina (mg)	116,3	7,8
Betacaroteno (mcg)	2.034,9	135,7
Luteína e zeaxantina (mcg)	379,9	25,3

Esta receita é rica em: proteína; ômega-6; ômega-3; fibra; cálcio; ferro; magnésio; fósforo; potássio; manganês; selênio; betacaroteno.

Flan de frutas

INGREDIENTES

2 ameixas-pretas médias sem caroço (14 g)
3 damascos secos médios (28 g)
1 colher (sopa) de uvas-passas (20 g)
1 colher (sopa) cheia de linhaça (12 g)
1 xícara (chá) rasa de água de coco (200 ml)
1 colher (sopa) rasa de quinoa em flocos (10 g)
8 morangos médios (108 g)
1 fatia pequena de abacaxi (84 g)
4 morangos, para decorar

MODO DE PREPARO

1. Deixe as frutas secas e a linhaça de molho na água de coco por 1 hora.
2. Coloque-as no liquidificador e acrescente a quinoa e os 8 morangos. Bata até ficar cremoso.
3. Corte o abacaxi e os 4 morangos em cubinhos e ponha em cima do creme. Sirva frio.

RENDIMENTO: 2 porções.

SUGESTÕES:

✓ Use as frutas de sua preferência.
✓ Se desejar consistência de gelatina, misture 2 colheres (chá) cheias de ágar-ágar em um pouco de água e leve para ferver. Deixe amornar e então acrescente ao flan.

Esta receita é rica em: ômega-3; fibra; magnésio; fósforo; potássio; manganês; vitamina C; betacaroteno.

INFORMAÇÃO NUTRICIONAL	TOTAL	PORÇÃO
CALORIAS (KCAL)	**446,6**	**223,3**
PROTEÍNA (G)	**9,7**	**4,9**
GORDURA TOTAL (G)	**7,5**	**3,8**
Saturada (g)	0,6	0,3
Monoinsaturada (g)	1,1	0,6
Poli-insaturada (g)	3,8	1,9
Ômega-6 (g)	0,7	0,4
Ômega-3 (g)	2,8	1,4
CARBOIDRATO (G)	**97,2**	48,6
Fibra (g)	17,6	8,8
MINERAIS		
Cálcio (mg)	158,8	79,4
Ferro (mg)	2,6	1,3
Magnésio (mg)	174,8	87,4
Fósforo (mg)	262,7	131,4
Potássio (mg)	1.797,9	898,9
Sódio (mg)	278,7	139,3
Zinco (mg)	0,8	0,4
Cobre (mg)	0,2	0,1
Manganês (mg)	2,1	1,1
Selênio (mcg)	6,6	3,3
VITAMINAS		
C (mg)	77,7	38,8
B_1 (mg)	0,3	0,1
B_2 (mg)	0	0
B_3 (mg)	3,4	1,7
B_5 (mg)	0,5	0,2
B_6 (mg)	0	0
B_9 (ácido fólico) (mcg)	48,4	24,2
E (mg)	1,4	0,7
K (mcg)	11,4	5,7
Colina (mg)	31,1	15,5
Betacaroteno (mcg)	687,6	343,8
Luteína e zeaxantina (mcg)	115,1	57,6

Hambúrguer de grão-de-bico

INGREDIENTES

½ xícara (chá) de grão-de-bico (72 g)
2½ xícaras (chá) de água (500 ml)
½ xícara (chá) de farinha de trigo integral (60 g)
½ xícara (chá) de gérmen de trigo tostado (68 g)
¼ de xícara (chá) de fécula de batata (28 g)
½ dente de alho pequeno amassado
1 colher (chá) bem rasa de sal (6 g)
pimenta rosa moída, manjerona e açafrão a gosto (apenas pitadas)

MODO DE PREPARO

1. Cubra o grão-de-bico com a água e deixe-o de molho por 8 horas.
2. Escorra a água em que ele ficou de molho e jogue-a fora.
3. Ponha o grão-de-bico na panela de pressão e acrescente nova água (500 ml). Leve ao fogo e cozinhe por 20 minutos (a contar do momento em que a panela começar a apitar).
4. Deixe o grão-de-bico amornar e bata-o, com a água do cozimento, no liquidificador.
5. Coloque-o em uma vasilha e acrescente o restante dos ingredientes. Misture até obter uma massa meio mole.
6. Modele 8 bolinhas e, com a palma das mãos umedecida, achate-as, formando hambúrgueres.
7. Acomode-os em uma fôrma untada e leve ao forno alto (230°C), preaquecido. Asse por 20 minutos, virando-os na metade do tempo.

RENDIMENTO: 8 unidades médias.

SUGESTÕES:
- ✓ Guarde os hambúrgueres no freezer para usar no decorrer do mês.
- ✓ Com o chapati (receita na p. 130) e os patês (receita nas pp. 18-31) dá um ótimo sanduíche.
- ✓ Sirva com molho de maionese vegano (receita na p. 53).

Esta receita é rica em: proteína; fibra; potássio; magnésio; fósforo; manganês; selênio; ácido fólico.

INFORMAÇÃO NUTRICIONAL	TOTAL	PORÇÃO
CALORIAS (KCAL)	1.001	125,1
PROTEÍNA (G)	32,4	4,1
GORDURA TOTAL (G)	6	0,8
Saturada (g)	0,9	0,1
Monoinsaturada (g)	0,7	0,1
Poli-insaturada (g)	3	0,4
Ômega-6 (g)	2,8	0,3
Ômega-3 (g)	0	0
CARBOIDRATO (G)	212,4	26,5
Fibra (g)	28,3	3,5
MINERAIS		
Cálcio (mg)	194,9	24,4
Ferro (mg)	8,8	1,1
Magnésio (mg)	263,2	32,9
Fósforo (mg)	723,1	90,4
Potássio (mg)	2375	296,9
Sódio (mg)	2.428,3	303,5
Zinco (mg)	4,8	0,6
Cobre (mg)	1	0,1
Manganês (mg)	4,3	0,5
Selênio (mcg)	50	6,3
VITAMINAS		
C (mg)	8,6	1,1
B_1 (mg)	0,3	0
B_2 (mg)	0,1	0
B_3 (mg)	10,3	1,3
B_5 (mg)	2,8	0,3
B_6 (mg)	1,9	0,2
B_9 (ácido fólico) (mcg)	464,9	58,1
E (mg)	1,7	0,2
K (mcg)	7,7	1
Colina (mg)	146,3	18,3
Betacaroteno (mcg)	31,8	4
Luteína e zeaxantina (mcg)	132	16,5

Granola

INGREDIENTES

1 colher (sopa) de castanhas-de-caju (14 g)
1 colher (sopa) cheia de nozes (16 g)
1 colher (sopa) rasa de amêndoas (12 g)
2 colheres (sopa) cheias de damascos (58 g)
1 colher (sopa) rasa de castanhas-do-pará (20 g)
2 colheres (sopa) cheias de uvas-passas (40 g)
1 colher (sopa) cheia de quinoa em flocos (12 g)
2 colheres (sopa) cheias de farinha de linhaça dourada (36 g)
2 colheres (sopa) cheias de aveia em flocos (30 g)
3 colheres (sopa) cheias de flocos de milho sem açúcar (28 g)
4 colheres (sopa) cheias de agave (74 g)

MODO DE PREPARO

1 Pique as castanhas, as nozes, as amêndoas e os damascos e misture-os aos demais ingredientes. Coloque em uma assadeira e leve ao forno alto (230°C), preaquecido. Asse por 15 minutos ou até que doure, mexendo às vezes para não queimar.

RENDIMENTO: 3½ porções (xícaras).

SUGESTÕES:
- ✓ Faça em maior quantidade e guarde na geladeira.
- ✓ Para fazer a farinha de linhaça, aqueça as sementes no forno rapidamente e depois triture-as no liquidificador.
- ✓ Para eliminar o glúten da receita, retire a aveia.

Esta receita é rica em: ômega-6; ômega-3; fibra; cálcio; ferro; magnésio; fósforo; potássio; zinco; cobre; manganês; selênio; vitamina B_1; betacaroteno.

INFORMAÇÃO NUTRICIONAL	TOTAL	PORÇÃO
CALORIAS (KCAL)	**1210,9**	**346**
PROTEÍNA (G)	**28,8**	**8,2**
GORDURA TOTAL (G)	**54,9**	**15,7**
Saturada (g)	7,7	2,2
Monoinsaturada (g)	17,5	5
Poli-insaturada (g)	26,1	7,4
Ômega-6 (g)	15,9	4,5
Ômega-3 (g)	9,7	2,8
CARBOIDRATO (G)	**166,1**	**47,5**
Fibra (g)	31	8,9
MINERAIS		
Cálcio (mg)	602,8	172,2
Ferro (mg)	16,6	4,7
Magnésio (mg)	445,3	127,2
Fósforo (mg)	865	247,1
Potássio (mg)	1888,6	539,6
Sódio (mg)	42,4	12,1
Zinco (mg)	5,3	1,5
Cobre (mg)	1,6	0,5
Manganês (mg)	3,4	1
Selênio (mcg)	410,4	117,3
VITAMINAS		
C (mg)	2,1	0,6
B_1 (mg)	1,3	0,4
B_2 (mg)	0,2	0,1
B_3 (mg)	4,5	1,3
B_5 (mg)	1,4	0,4
B_6 (mg)	0,2	0,1
B_9 (ácido fólico) (mcg)	111,8	32
E (mg)	7,6	2,2
K (mcg)	14,7	4,2
Colina (mg)	84,2	24
Betacaroteno (mcg)	1.333,9	381,1
Luteína e zeaxantina (mcg)	676,6	193,3

Leite de castanhas-do-pará

INGREDIENTES

20 castanhas-do-pará (90 g)
2 xícaras (chá) de água (400 ml)

MODO DE PREPARO

1. Cubra as castanhas com água e deixe-as de molho por 12 horas.
2. Escorra a água em que ficaram de molho e jogue-a fora.
3. Coloque as castanhas no liquidificador, acrescente nova água (400 ml) e bata bem.
4. Coe em um voal (pano fino) e sirva, ou use o leite em outras preparações.

RENDIMENTO: 2 xícaras.

SUGESTÕES:

- ✓ Você pode preparar esta receita com outros grãos ou oleaginosas, amêndoas, coco, aveia, quinoa.
- ✓ A borra de castanhas que sobrar no voal pode ser utilizada, com um pouco do próprio leite e sal, para fazer ricota vegana.
- ✓ Cuidado, pois este leite é calórico e não substitui o mesmo teor de cálcio contido no leite de vaca ou no de soja enriquecido.
- ✓ Não consuma o leite todos os dias ou mais que 1 xícara por dia, pois a quantidade diária de selênio atingirá seu limite máximo.

Esta receita é rica em: ômega-6; cálcio; magnésio; fósforo, cobre; selênio.

INFORMAÇÃO NUTRICIONAL	TOTAL	PORÇÃO
CALORIAS (KCAL)	**590,4**	**295,2**
PROTEÍNA (G)	**12,6**	**6,3**
GORDURA TOTAL (G)	**59,4**	**29,7**
Saturada (g)	13,5	6,8
Monoinsaturada (g)	22,5	11,3
Poli-insaturada (g)	18,9	9,5
Ômega-6 (g)	18,9	9,5
Ômega-3 (g)	0	0
CARBOIDRATO (G)	**10,8**	**5,4**
Fibra (g)	7,2	3,6
MINERAIS		
Cálcio (mg)	144	72
Ferro (mg)	1,8	0,9
Magnésio (mg)	338,4	169,2
Fósforo (mg)	652,5	326,3
Potássio (mg)	593,1	296,6
Sódio (mg)	2,7	1,4
Zinco (mg)	3,6	1,8
Cobre (mg)	1,8	0,9
Manganês (mg)	0,9	0,5
Selênio (mcg)	1.725,3	862,7
VITAMINAS		
C (mg)	0,9	0,5
B_1 (mg)	0,9	0,5
B_2 (mg)	0	0
B_3 (mg)	0	0
B_5 (mg)	0	0
B_6 (mg)	0	0
B_9 (ácido fólico) (mcg)	19,8	9,9
E (mg)	5,4	2,7
K (mcg)	0	0
Colina (mg)	26,1	13,1
Betacaroteno (mcg)	0	0
Luteína e zeaxantina (mcg)	0	0

Pãezinhos de mandioquinha

INGREDIENTES

5 mandioquinhas (batatas-baroas) pequenas (364 g)
3½ xícaras (chá) de água fervente (700 ml)
1¼ xícara (chá) de polvilho doce (132 g)
½ xícara (chá) de polvilho azedo (70 g)
1 colher (chá) rasa de sal marinho (6 g)
3 colheres (sopa) de azeite de oliva (30 g)

MODO DE PREPARO

1. Descasque e pique as mandioquinhas. Coloque-as em uma panela média (atenção, pois quanto maior a panela, mais rápido a água secará), junte a água fervente e cozinhe por 15 minutos com a tampa semiaberta.
2. Deixe a mandioquinha esfriar um pouco e coloque-a em uma vasilha. Amasse-a com as mãos e acrescente o restante dos ingredientes (a mandioquinha deve estar morna). Misture bem e vá adicionando a água do cozimento aos poucos, trabalhando a massa até que não grude mais nos dedos.
3. Modele bolinhas de tamanho médio e coloque-as em uma assadeira untada com óleo. Leve ao forno alto (230°C), preaquecido, e asse por cerca de 40 minutos.
4. Sirva quente.

RENDIMENTO: 10 porções.

SUGESTÕES:
- ✓ Para variar o sabor, coloque os temperos de sua preferência.
- ✓ Se desejar que a massa fique mais durinha, acrescente um pouco mais de polvilho doce.

Esta receita é rica em: gordura monoinsaturada; magnésio; fósforo; potássio; betacaroteno.

INFORMAÇÃO NUTRICIONAL	TOTAL	PORÇÃO
CALORIAS (KCAL)	**1.691,7**	**169,2**
PROTEÍNA (G)	**7,8**	**0,8**
GORDURA TOTAL (G)	**30,2**	**3**
Saturada (g)	4,3	0,4
Monoinsaturada (g)	21,9	2,2
Poli-insaturada (g)	3,4	0,3
Ômega-6 (g)	3	0,3
Ômega-3 (g)	0,3	0
CARBOIDRATO (G)	**348**	**34,8**
Fibra (g)	13,1	1,3
MINERAIS		
Cálcio (mg)	209,2	20,9
Ferro (mg)	4,4	0,4
Magnésio (mg)	116,7	11,7
Fósforo (mg)	220,8	22,1
Potássio (mg)	1525	152,5
Sódio (mg)	2.562,1	256,2
Zinco (mg)	1,3	0,1
Cobre (mg)	0,6	0,1
Manganês (mg)	1,1	0,1
Selênio (mcg)	2,5	0,3
VITAMINAS		
C (mg)	10	1
B_1 (mg)	0,3	0
B_2 (mg)	0,3	0
B_3 (mg)	2,3	0,2
B_5 (mg)	3,3	0,3
B_6 (mg)	0,9	0,1
B_9 (ácido fólico) (mcg)	46	4,6
E (mg)	5,3	0,5
K (mcg)	25,5	2,6
Colina (mg)	51,4	5,1
Betacaroteno (mcg)	35.567,6	3.556,8
Luteína e zeaxantina (mcg)	0	0

Musse de abacate e caldo de cana

INGREDIENTES

2½ xícaras (chá) de caldo de cana congelado (500 ml)
½ abacate maduro (300 g)
2 colheres (sopa) rasas de cacau em pó (10 g)

MODO DE PREPARO

1. Deixe o caldo de cana descongelar um pouco (15 minutos).
2. Coloque-o no liquidificador e acrescente o abacate picado e o cacau.
3. Bata até que fique com a consistência de musse.
4. Sirva em seguida.

RENDIMENTO: 3 porções (xícaras).

SUGESTÃO:
✓ É um ótimo substituto para as sobremesas.

Esta receita é rica em: gordura monoinsaturada; fibra; potássio; vitaminas C, B_5, B_9 (ácido fólico), E e K.

INFORMAÇÃO NUTRICIONAL	TOTAL	PORÇÃO
CALORIAS (KCAL)	**779,8**	**259,9**
PROTEÍNA (G)	**6,7**	**2,2**
GORDURA TOTAL (G)	**45,4**	**15,1**
Saturada (g)	6,2	2,1
Monoinsaturada (g)	30,1	10
Poli-insaturada (g)	6	2
Ômega-6 (g)	6	2
Ômega-3 (g)	0	0
CARBOIDRATO (G)	**108,2**	**36,1**
Fibra (g)	21,8	7,3
MINERAIS		
Cálcio (mg)	85,3	28,4
Ferro (mg)	6,3	2,1
Magnésio (mg)	143,3	47,8
Fósforo (mg)	207,5	69,2
Potássio (mg)	1.598,2	532,7
Sódio (mg)	71,4	23,8
Zinco (mg)	3,5	1,2
Cobre (mg)	0,1	0
Manganês (mg)	0,9	0,3
Selênio (mcg)	0,5	0,2
VITAMINAS		
C (mg)	41,2	13,7
B_1 (mg)	0	0
B_2 (mg)	0,1	0
B_3 (mg)	6,1	2
B_5 (mg)	3,1	1
B_6 (mg)	0,1	0
B_9 (ácido fólico) (mcg)	243,6	81,2
E (mg)	6	2
K (mcg)	63,1	21
Colina (mg)	45,3	15,1
Betacaroteno (mcg)	186	62
Luteína e zeaxantina (mcg)	813,5	271,2

Simples e rápidas, opções prebióticas para auxiliar o funcionamento do intestino e o controle da glicemia e do colesterol.

RECEITAS FUNCIONAIS

Farofa de sementes

INGREDIENTES

2½ colheres (sopa) de sementes de girassol sem casca (26 g)
1 colher (sopa) cheia de sementes de gergelim (12 g)
9 nozes (30 g)
2 colheres (sopa) de amêndoas (26 g)
5 castanhas-do-pará grandes (24 g)
3 colheres (sopa) de farelo de aveia (24 g)
2 colheres (sopa) de sementes de linhaça (30 g)
3 colheres (sopa) cheias de quinoa em flocos (30 g)

MODO DE PREPARO

1 Coloque todos os ingredientes no liquidificador.
2 Bata até obter uma farofa.

RENDIMENTO: 15 porções (colheres de sopa).

SUGESTÕES:
✓ Use esta farofa em preparações como feijões, musses, sorvetes, saladas.
✓ Se você retirar a aveia, a receita ficará sem glúten.

Esta receita é rica em: proteína; ômega-6; ômega-3; fibra; cálcio; ferro; magnésio; fósforo; potássio; zinco; cobre; manganês; selênio; vitamina B_9 (ácido fólico).

INFORMAÇÃO NUTRICIONAL	TOTAL	PORÇÃO
CALORIAS (KCAL)	1.061,5	70,8
PROTEÍNA (G)	33,5	2,2
GORDURA TOTAL (G)	84,8	5,7
Saturada (g)	10,5	0,7
Monoinsaturada (g)	25,1	1,7
Poli-insaturada (g)	45,1	3
Ômega-6 (g)	34,2	2,3
Ômega-3 (g)	9,6	0,6
CARBOIDRATO (G)	65,2	4,3
Fibra (g)	25,7	1,7
MINERAIS		
Cálcio (mg)	374,5	25
Ferro (mg)	10,4	0,7
Magnésio (mg)	516,7	34,4
Fósforo (mg)	1.287,1	85,8
Potássio (mg)	1.207,1	80,5
Sódio (mg)	15,1	1
Zinco (mg)	7,6	0,5
Cobre (mg)	2,6	0,2
Manganês (mg)	5,1	0,3
Selênio (mcg)	483,7	32,2
VITAMINAS		
C (mg)	1,1	0,1
B_1 (mg)	1,3	0,1
B_2 (mg)	0,4	0
B_3 (mg)	4,3	0,3
B_5 (mg)	2,9	0,2
B_6 (mg)	0,8	0,1
B_9 (ácido fólico) (mcg)	215,1	14,3
E (mg)	9,5	0,6
K (mcg)	2,8	0,2
Colina (mg)	84,6	5,6
Betacaroteno (mcg)	6,3	0,4
Luteína e zeaxantina (mcg)	290,4	19,4

Shake de linhaça

INGREDIENTES

1 colher (sopa) cheia de linhaça dourada (12 g)
1 colher (café) rasa de canela em pó (2 g)
1 rodela grande de gengibre (2 g)
1 banana média (100 g)
1 xícara (chá) rasa de água de coco (200 ml)

MODO DE PREPARO

1. Coloque todos os ingredientes no liquidificador.
2. Bata até que fique bem homogêneo.
3. Sirva em seguida.

RENDIMENTO: 1 porção (copo).

SUGESTÃO:
✓ Se preferir, deixe na geladeira e sirva depois.

Esta receita é rica em: ômega-3; fibra; magnésio; fósforo; potássio.

INFORMAÇÃO NUTRICIONAL	TOTAL	PORÇÃO
CALORIAS (KCAL)	**197,6**	**197,6**
PROTEÍNA (G)	**5,3**	**5,3**
GORDURA TOTAL (G)	**5,1**	**5,1**
Saturada (g)	0,5	0,5
Monoinsaturada (g)	1	1
Poli-insaturada (g)	3,5	3,5
Ômega-6 (g)	0,7	0,7
Ômega-3 (g)	2,8	2,8
CARBOIDRATO (G)	**36,4**	**36,4**
Fibra (g)	9,3	9,3
MINERAIS		
Cálcio (mg)	104	104
Ferro (mg)	0,9	0,9
Magnésio (mg)	126,1	126,1
Fósforo (mg)	141	141
Potássio (mg)	972,5	972,5
Sódio (mg)	215,1	215,1
Zinco (mg)	0,5	0,5
Cobre (mg)	0,1	0,1
Manganês (mg)	0,6	0,6
Selênio (mcg)	6,1	6,1
VITAMINAS		
C (mg)	13,3	13,3
B_1 (mg)	0,2	0,2
B_2 (mg)	0	0
B_3 (mg)	1,4	1,4
B_5 (mg)	0,1	0,1
B_6 (mg)	0	0
B_9 (ácido fólico) (mcg)	36,8	36,8
E (mg)	0,1	0,1
K (mcg)	1,1	1,1
Colina (mg)	22,3	22,3
Betacaroteno (mcg)	28,2	28,2
Luteína e zeaxantina (mcg)	104,6	104,6

Shake de banana verde

INGREDIENTES

3 bananas verdes médias, com a casca (340 g)
3½ xícaras (chá) de água (700 ml)
1 fatia média de melancia (718 g)
1 fatia grande de melão (484 g)
2 colheres (sopa) de açúcar mascavo (32 g)
suco de 2 limões médios (70 ml)

MODO DE PREPARO

1. Coloque as bananas (com a casca) e a água em uma panela. Leve ao fogo e cozinhe por 10 minutos.
2. Deixe que esfriem e retire a casca. Coloque as bananas no liquidificador, junto com os demais ingredientes, e bata até obter um creme.
3. Coe e sirva em seguida.

RENDIMENTO: 3 porções (copos).

SUGESTÕES:

✓ Se colocar o shake na geladeira e o servir depois, ficará um creme.

✓ A banana verde é um excelente prebiótico (alimento para as suas bactérias intestinais boas). Ajuda no controle da glicemia, do colesterol e no funcionamento intestinal.

Esta receita é rica em: fibra; magnésio; potássio; vitaminas C e B_9 (ácido fólico); betacaroteno.

INFORMAÇÃO NUTRICIONAL	TOTAL	PORÇÃO
CALORIAS (KCAL)	**824,5**	**274,8**
PROTEÍNA (G)	**16,1**	**5,4**
GORDURA TOTAL (G)	**0**	**0**
Saturada (g)	0	0
Monoinsaturada (g)	0	0
Poli-insaturada (g)	0	0
Ômega-6 (g)	0	0
Ômega-3 (g)	0	0
CARBOIDRATO (G)	**212**	**70,7**
Fibra (g)	17,1	5,7
MINERAIS		
Cálcio (mg)	155,6	51,9
Ferro (mg)	1	0,3
Magnésio (mg)	230,2	76,7
Fósforo (mg)	238,9	79,6
Potássio (mg)	3.452,8	1.150,9
Sódio (mg)	98,4	32,8
Zinco (mg)	0	0
Cobre (mg)	0	0
Manganês (mg)	0	0
Selênio (mcg)	3,7	1,2
VITAMINAS		
C (mg)	304,2	101,4
B_1 (mg)	0	0
B_2 (mg)	0	0
B_3 (mg)	8,2	2,7
B_5 (mg)	0	0
B_6 (mg)	0	0
B_9 (ácido fólico) (mcg)	199,2	66,4
E (mg)	0	0
K (mcg)	9,7	3,2
Colina (mg)	105,6	35,2
Betacaroteno (mcg)	12.042,8	4014,3
Luteína e zeaxantina (mcg)	265,8	88,6

Sorvete de banana verde

INGREDIENTES

2 bananas verdes médias, com a casca (200 g)
1 colher (sopa) de açúcar mascavo (14 g)
1 colher (sopa) cheia de amêndoas (16 g)
1 colher (sopa) rasa de cacau em pó (6 g)
5 ameixas secas pequenas (32 g)
1 colher (sopa) cheia de coco ralado fresco ou seco (8 g)

MODO DE PREPARO

1. Congele as bananas com a casca por 12 horas.
2. Depois de retirá-las do freezer, espere um pouco até conseguir tirar a casca.
3. Bata-as no liquidificador, ou com o mixer, junto com os demais ingredientes (exceto o coco). Faça bolas e polvilhe-as com o coco ralado.
4. Sirva em seguida ou leve-o ao congelador antes de servir.

RENDIMENTO: 2 porções.

SUGESTÕES:

✓ Se preferir, deixe as amêndoas apenas picadas, para ficar crocante.
✓ Fica ótimo com a farofa de sementes.
✓ Pode ser usado como alimento prebiótico, pois é excelente para o funcionamento intestinal.

Esta receita é rica em: fibra; magnésio; fósforo; potássio.

INFORMAÇÃO NUTRICIONAL	TOTAL	PORÇÃO
CALORIAS (KCAL)	**464**	**232**
PROTEÍNA (G)	**6,6**	**3,3**
GORDURA TOTAL (G)	**10,9**	**5,5**
Saturada (g)	3,3	1,7
Monoinsaturada (g)	5,2	2,6
Poli-insaturada (g)	2	1
Ômega-6 (g)	1,9	1
Ômega-3 (g)	0	0
CARBOIDRATO (G)	**92,6**	**46,3**
Fibra (g)	10,7	5,4
MINERAIS		
Cálcio (mg)	86,8	43,4
Ferro (mg)	1,3	0,7
Magnésio (mg)	120,2	60,1
Fósforo (mg)	171,5	85,8
Potássio (mg)	1.151,3	575,7
Sódio (mg)	57,9	29
Zinco (mg)	0,7	0,4
Cobre (mg)	0,2	0,1
Manganês (mg)	0,5	0,3
Selênio (mcg)	4,1	2
VITAMINAS		
C (mg)	18,4	9,2
B_1 (mg)	0	0
B_2 (mg)	0,2	0,1
B_3 (mg)	3,2	1,6
B_5 (mg)	0,1	0,1
B_6 (mg)	0	0
B_9 (ácido fólico) (mcg)	50,4	25,2
E (mg)	4,2	2,1
K (mcg)	19,3	9,6
Colina (mg)	35,3	17,7
Betacaroteno (mcg)	178,2	89,1
Luteína e zeaxantina (mcg)	91,8	45,9

Chapati (pão indiano)

INGREDIENTES

1¼ xícara (chá) de farinha de trigo integral (164 g)
1 colher (café) rasa de sal (2 g)
1 colher (chá) de azeite de oliva (4 g)
½ xícara (chá) de água (100 ml)

MODO DE PREPARO

1. Misture todos os ingredientes em uma vasilha. Amasse com as mãos até formar uma massa homogênea. Cubra com um pano e deixe descansar por 2 horas.
2. Modele bolinhas pequenas e abra-as com um rolo, formando círculos finos de massa.
3. Aqueça uma frigideira antiaderente, ou uma grelha, e coloque um círculo de massa por vez. Quando ele estufar de um lado, vire-o do outro lado. Retire-o assim que dourar.
4. Guarde os pães empilhados dentro de um recipiente fechado, para que o vapor os mantenha quentes e macios.

RENDIMENTO: 7 porções.

SUGESTÕES:

- ✓ Se colocar um fio de óleo antes de empilhá-los, eles ficarão ainda mais macios.
- ✓ Se preferir, pode recheá-los com tofu, ervas, entre outros.
- ✓ Outra opção é triturá-los e misturar algumas especiarias, formando uma espécie de farofa.

Esta receita é rica em: fibra; magnésio; fósforo; manganês; selênio.

INFORMAÇÃO NUTRICIONAL	TOTAL	PORÇÃO
CALORIAS (KCAL)	**591,3**	**84,5**
PROTEÍNA (G)	**23**	**3,3**
GORDURA TOTAL (G)	**7,3**	**1**
Saturada (g)	0,6	0,1
Monoinsaturada (g)	2,9	0,4
Poli-insaturada (g)	2,1	0,3
Ômega-6 (g)	2	0,3
Ômega-3 (g)	0	0
CARBOIDRATO (G)	**119,7**	**17,1**
Fibra (g)	19,7	2,8
MINERAIS		
Cálcio (mg)	56,3	8
Ferro (mg)	6,6	0,9
Magnésio (mg)	226,3	32,3
Fósforo (mg)	567,4	81,1
Potássio (mg)	664,4	94,9
Sódio (mg)	783,4	111,9
Zinco (mg)	4,9	0,7
Cobre (mg)	0	0
Manganês (mg)	6,6	0,9
Selênio (mcg)	116,4	16,6
VITAMINAS		
C (mg)	0	0
B_1 (mg)	0	0
B_2 (mg)	0	0
B_3 (mg)	9,8	1,4
B_5 (mg)	1,6	0,2
B_6 (mg)	0	0
B_9 (ácido fólico) (mcg)	72,2	10,3
E (mg)	2,2	0,3
K (mcg)	5,7	0,8
Colina (mg)	50,8	7,3
Betacaroteno (mcg)	8,2	1,2
Luteína e zeaxantina (mcg)	360,8	51,5

Versáteis e de preparo fácil,
estes sucos são também ricos
em vitaminas e minerais.
Refrescam, alimentam
e energizam.

SUCOS

Suco verde

INGREDIENTES

1 maçã pequena (132 g)
2 folhas médias de couve-manteiga (28 g)
2 ramos bem pequenos de hortelã (8 g)
água de 1 coco-verde (500 ml)

MODO DE PREPARO

1. Retire o miolo da maçã.
2. Coloque todos os ingredientes no liquidificador e bata até triturar bem.
3. Sirva sem coar.

RENDIMENTO: 2½ porções (copos).

SUGESTÕES:

✓ Se preferir (pelo paladar), coe o suco, porém, a quantidade de fibras vai diminuir.
✓ Um pouco de gengibre ralado vai deixar este suco delicioso.
✓ Experimente também com outras frutas (laranja, abacaxi, etc).

Esta receita é rica em: cálcio; magnésio; fósforo; potássio; vitaminas C e K; betacaroteno; luteína e zeaxantina.

INFORMAÇÃO NUTRICIONAL	TOTAL	PORÇÃO
CALORIAS (KCAL)	**181,2**	**72,5**
PROTEÍNA (G)	**6,1**	**2,4**
GORDURA TOTAL (G)	**0,3**	**0,1**
Saturada (g)	0	0
Monoinsaturada (g)	0	0
Poli-insaturada (g)	0	0
Ômega-6 (g)	0	0
Ômega-3 (g)	0	0
CARBOIDRATO (G)	**42**	**16,8**
Fibra (g)	8,7	3,5
MINERAIS		
Cálcio (mg)	181,6	72,7
Ferro (mg)	1,5	0,6
Magnésio (mg)	146,2	58,5
Fósforo (mg)	135	54
Potássio (mg)	1.553	621,2
Sódio (mg)	540,8	216,3
Zinco (mg)	0,1	0
Cobre (mg)	0	0
Manganês (mg)	0,4	0,1
Selênio (mcg)	5,3	2,1
VITAMINAS		
C (mg)	51,3	20,5
B_1 (mg)	0	0
B_2 (mg)	0	0
B_3 (mg)	0,4	0,1
B_5 (mg)	0	0
B_6 (mg)	0	0
B_9 (ácido fólico) (mcg)	35,5	14,2
E (mg)	0	0
K (mcg)	231,4	92,6
Colina (mg)	9	3,6
Betacaroteno (mcg)	2.618,9	1.047,6
Luteína e zeaxantina (mcg)	11.112,3	4.444,9

Abacaxi com rúcula

INGREDIENTES

1 abacaxi pequeno bem maduro (974 g)
2 folhas médias de rúcula (6 g)
1 colher (sobremesa) cheia de gengibre fresco, ralado (8 g)
1½ xícara (chá) de água (300 ml)

MODO DE PREPARO

1. Descasque o abacaxi e corte-o em pedaços.
2. Coloque-o no liquidificador e adicione a rúcula, o gengibre (pode ser com a casca) e a água.
3. Bata até que todos os ingredientes estejam bem triturados.
4. Coe e sirva em seguida.

RENDIMENTO: 2½ porções (copos).

SUGESTÕES:

✓ Experimente a rúcula antes de colocá-la no suco, para ver se está muito picante, pois seu sabor é mais forte dependendo da espécie.

✓ Na hora de escolher o abacaxi, aperte-o levemente para verificar se está macio; outro bom indício é a casca estar amarelada.

Esta receita é rica em: cálcio; magnésio; potássio; manganês; vitaminas C e B_9 (ácido fólico).

INFORMAÇÃO NUTRICIONAL	TOTAL	PORÇÃO
CALORIAS (KCAL)	**446,2**	**178,5**
PROTEÍNA (G)	**10,1**	**4**
GORDURA TOTAL (G)	**0,1**	**0**
Saturada (g)	0	0
Monoinsaturada (g)	0	0
Poli-insaturada (g)	0	0
Ômega-6 (g)	0	0
Ômega-3 (g)	0	0
CARBOIDRATO (G)	**118,5**	**47,4**
Fibra (g)	0,3	0,1
MINERAIS		
Cálcio (mg)	137,5	55
Ferro (mg)	0,1	0
Magnésio (mg)	123,1	49,3
Fósforo (mg)	93,5	37,4
Potássio (mg)	1.272,8	509,1
Sódio (mg)	12,4	5
Zinco (mg)	0	0
Cobre (mg)	0	0
Manganês (mg)	19,5	7,8
Selênio (mcg)	0,1	0
VITAMINAS		
C (mg)	166,9	66,8
B_1 (mg)	0	0
B_2 (mg)	0	0
B_3 (mg)	0,1	0
B_5 (mg)	0	0
B_6 (mg)	0	0
B_9 (ácido fólico) (mcg)	113,8	45,5
E (mg)	0	0
K (mcg)	16,3	6,5
Colina (mg)	61,6	24,7
Betacaroteno (mcg)	387,4	155
Luteína e zeaxantina (mcg)	213,3	85,3

Quinoa com morangos

INGREDIENTES

3 colheres (sopa) cheias de quinoa em flocos (32 g)
1 banana média (110 g)
10 morangos médios (156 g)
suco de 6 de laranjas (500 ml)

MODO DE PREPARO

1 Coloque todos ingredientes no liquidificador.
2 Bata até ficar uma mistura homogênea.
3 Sirva em seguida.

RENDIMENTO: 2½ porções (copos).

SUGESTÃO:
✓ Sempre escolha as frutas mais maduras para fazer os sucos, assim você evita adoçá-los.

Esta receita é rica em: fibra; cálcio; magnésio; fósforo; potássio; vitaminas C e B_9 (ácido fólico).

INFORMAÇÃO NUTRICIONAL	TOTAL	PORÇÃO
CALORIAS (KCAL)	**558,3**	**223,3**
PROTEÍNA (G)	**12,2**	**4,9**
GORDURA TOTAL (G)	**3,5**	**1,4**
Saturada (g)	0,2	0,1
Monoinsaturada (g)	0,5	0,2
Poli-insaturada (g)	1,1	0,4
Ômega-6 (g)	0	0
Ômega-3 (g)	0	0
CARBOIDRATO (G)	**132,4**	**52,9**
Fibra (g)	23,3	9,3
MINERAIS		
Cálcio (mg)	253,3	101,3
Ferro (mg)	1,5	0,6
Magnésio (mg)	169,3	67,7
Fósforo (mg)	282,6	113
Potássio (mg)	1.934,5	773,8
Sódio (mg)	60,4	24,2
Zinco (mg)	1	0,4
Cobre (mg)	0,2	0,1
Manganês (mg)	0,7	0,3
Selênio (mcg)	3,8	1,5
VITAMINAS		
C (mg)	332,6	133
B_1 (mg)	0,1	0
B_2 (mg)	0,1	0
B_3 (mg)	3,1	1,3
B_5 (mg)	0,2	0,1
B_6 (mg)	0,2	0,1
B_9 (ácido fólico) (mcg)	230,9	92,4
E (mg)	0,8	0,3
K (mcg)	0	0
Colina (mg)	73,5	29,4
Betacaroteno (mcg)	386,2	154,5
Luteína e zeaxantina (mcg)	721,4	288,5

Manga com agrião

INGREDIENTES

1 manga pequena ou média (430 g)
2 ramos pequenos de agrião (8 g)
água de coco (500 ml)

MODO DE PREPARO

1. Pique grosseiramente a manga e o agrião.
2. Coloque todos os ingredientes no liquidificador.
3. Bata até o suco ficar bem homogêneo.
4. Sirva a seguir.

RENDIMENTO: 3½ porções (copos).

SUGESTÃO:
✓ Se a manga escolhida tiver muita fibra, coe o suco.

Esta receita é rica em: fibra; cálcio; magnésio; potássio; vitaminas C e K; betacaroteno.

INFORMAÇÃO NUTRICIONAL	TOTAL	PORÇÃO
CALORIAS (KCAL)	**375,4**	**107,3**
PROTEÍNA (G)	**9,5**	**2,7**
GORDURA TOTAL (G)	**0**	**0**
Saturada (g)	0	0
Monoinsaturada (g)	0	0
Poli-insaturada (g)	4,3	1,2
Ômega-6 (g)	0	0
Ômega-3 (g)	0	0
CARBOIDRATO (G)	**93,2**	**26,6**
Fibra (g)	13,6	3,9
MINERAIS		
Cálcio (mg)	172,6	49,3
Ferro (mg)	0	0
Magnésio (mg)	165,4	47,3
Fósforo (mg)	152,1	43,5
Potássio (mg)	1.947,2	556,3
Sódio (mg)	536,9	153,4
Zinco (mg)	0	0
Cobre (mg)	0	0
Manganês (mg)	0	0
Selênio (mcg)	9,4	2,7
VITAMINAS		
C (mg)	133,8	38,2
B_1 (mg)	0	0
B_2 (mg)	0	0
B_3 (mg)	4,3	1,2
B_5 (mg)	0	0
B_6 (mg)	0	0
B_9 (ácido fólico) (mcg)	75,9	21,7
E (mg)	4,4	1,3
K (mcg)	37,2	10,6
Colina (mg)	40,1	11,5
Betacaroteno (mcg)	2.066,6	590,5
Luteína e zeaxantina (mcg)	461,4	131,8

Atemoia com melão

INGREDIENTES

1 atemoia média (292 g)
¼ de melão (318 g)
3 ameixas-pretas secas e pequenas (15 g)
1 xícara (chá) cheia de água (250 ml)

MODO DE PREPARO

1. Descasque a atemoia e o melão, retire as sementes e pique grosseiramente.
2. Coloque as frutas picadas no liquidificador e acrescente as ameixas (sem o caroço) e a água.
3. Bata até o suco ficar homogêneo.
4. Sirva em seguida.

RENDIMENTO: 2½ porções (copos).

SUGESTÃO:

✓ Se preferir o suco mais doce, aumente a quantidade de ameixa.

Esta receita é rica em: potássio; manganês; vitamina C; betacaroteno.

INFORMAÇÃO NUTRICIONAL	TOTAL	PORÇÃO
CALORIAS (KCAL)	427,4	170,9
PROTEÍNA (G)	6,4	2,6
GORDURA TOTAL (G)	0,9	0,4
Saturada (g)	0	0
Monoinsaturada (g)	0	0
Poli-insaturada (g)	0	0
Ômega-6 (g)	0	0
Ômega-3 (g)	0	0
CARBOIDRATO (G)	108,9	43,6
Fibra (g)	10,4	4,1
MINERAIS		
Cálcio (mg)	102,2	40,9
Ferro (mg)	1,3	0,5
Magnésio (mg)	96,9	38,7
Fósforo (mg)	139,8	55,9
Potássio (mg)	1.566,2	626,5
Sódio (mg)	51,2	20,5
Zinco (mg)	0,9	0,4
Cobre (mg)	0,1	0,1
Manganês (mg)	1,5	0,6
Selênio (mcg)	0	0
VITAMINAS		
C (mg)	117,8	47,1
B_1 (mg)	0	0
B_2 (mg)	0,2	0,1
B_3 (mg)	3,5	1,4
B_5 (mg)	0	0
B_6 (mg)	0	0
B_9 (ácido fólico) (mcg)	67,4	27
E (mg)	0	0
K (mcg)	15,4	6,1
Colina (mg)	26,9	10,8
Betacaroteno (mcg)	6.482,7	2.593,1
Luteína e zeaxantina (mcg)	104,9	42

Anti-inflamatórios, expectorantes,
antioxidantes, calmantes e digestivos.
A ceia perfeita para embalar os sonhos.

CHÁS

Maracujá com especiarias

INGREDIENTES

2 maracujás doces (508 g)
2½ xícaras (chá) de água (500 ml)
2 colheres (sobremesa) de açúcar mascavo (12 g)
1 rama média de canela (8 g)
4 cravos-da-índia

MODO DE PREPARO

1. Corte os maracujás e retire a polpa e as sementes.
2. Coloque em uma panela pequena, junto com a água e os outros ingredientes.
3. Leve ao fogo e deixe ferver até que as sementes se soltem da polpa (cerca de 20 minutos).
4. Coe e sirva quente.

RENDIMENTO: 2 porções (xícaras).

SUGESTÕES:
- ✓ Se você preferir, pode colocar mais água no chá.
- ✓ Ao cortar os maracujás tire apenas uma tampa, como se faz para chupar uma laranja; assim você pode retirar a polpa e as sementes sem desperdiçar nada.

Esta receita é rica em: magnésio; fósforo; potássio; manganês; vitamina C; betacaroteno.

INFORMAÇÃO NUTRICIONAL	TOTAL	PORÇÃO
CALORIAS (KCAL)	**558,1**	**279,1**
PROTEÍNA (G)	**11,5**	**5,7**
GORDURA TOTAL (G)	**3,7**	**1,8**
Saturada (g)	0,3	0,2
Monoinsaturada (g)	0,5	0,2
Poli-insaturada (g)	2,1	1
Ômega-6 (g)	0	0
Ômega-3 (g)	0	0
CARBOIDRATO (G)	**137**	**68,5**
Fibra (g)	57,1	28,5
MINERAIS		
Cálcio (mg)	151,1	75,5
Ferro (mg)	8,9	4,5
Magnésio (mg)	153,2	76,6
Fósforo (mg)	351	175,5
Potássio (mg)	1.818,3	909,1
Sódio (mg)	146,4	73,2
Zinco (mg)	0,7	0,3
Cobre (mg)	0,5	0,2
Manganês (mg)	1,4	0,7
Selênio (mcg)	3,4	1,7
VITAMINAS		
C (mg)	152,7	76,4
B_1 (mg)	0	0
B_2 (mg)	0,7	0,3
B_3 (mg)	7,7	3,9
B_5 (mg)	0	0
B_6 (mg)	0,5	0,3
B_9 (ácido fólico) (mcg)	71,7	35,9
E (mg)	0,3	0,1
K (mcg)	6,1	3
Colina (mg)	39,7	19,9
Betacaroteno (mcg)	3.783,4	1.891,7
Luteína e zeaxantina (mcg)	17,8	8,9

Gengibre com erva-doce

INGREDIENTES

3 xícaras (chá) de água (600 ml)
3 fatias médias de gengibre (6 g)
½ colher (sopa) de sementes de erva-doce (4 g)

MODO DE PREPARO

1. Coloque a água em uma chaleira e leve ao fogo para ferver.
2. Acrescente as rodelas de gengibre e as sementes de erva-doce e deixe ferver por 10 minutos.
3. Desligue o fogo e deixe em infusão (descanso) por mais 10 minutos.
4. Coe e sirva ainda quente.

RENDIMENTO: 3 porções (xícaras).

SUGESTÃO:
✓ Quanto mais você deixar o gengibre na chaleira, mais picante o chá ficará.

O gengibre é anti-inflamatório, expectorante, antioxidante e imunoestimulante.
A erva-doce é digestiva e carminativa.

INFORMAÇÃO NUTRICIONAL	TOTAL	PORÇÃO
CALORIAS (KCAL)	18,6	6,2
PROTEÍNA (G)	0,7	0,2
GORDURA TOTAL (G)	0,6	0,2
Saturada (g)	0	0
Monoinsaturada (g)	0,4	0,1
Poli-insaturada (g)	0,1	0
Ômega-6 (g)	0	0
Ômega-3 (g)	0	0
CARBOIDRATO (G)	3,2	1,1
Fibra (g)	1,7	0,6
MINERAIS		
Cálcio (mg)	48,8	16,3
Ferro (mg)	0,8	0,3
Magnésio (mg)	18	6
Fósforo (mg)	21,5	7,2
Potássio (mg)	92,7	30,9
Sódio (mg)	4,3	1,4
Zinco (mg)	0,2	0,1
Cobre (mg)	0,1	0
Manganês (mg)	0,3	0,1
Selênio (mcg)	0	0
VITAMINAS		
C (mg)	1,1	0,4
B_1 (mg)	0	0
B_2 (mg)	0	0
B_3 (mg)	0,3	0,1
B_5 (mg)	0	0
B_6 (mg)	0	0
B_9 (ácido fólico) (mcg)	0,7	0,2
E (mg)	0	0
K (mcg)	0	0
Colina (mg)	1,7	0,6
Betacaroteno (mcg)	0	0
Luteína e zeaxantina (mcg)	0	0

Frutas desidratadas

INGREDIENTES

4 xícaras (chá) de água (800 ml)
100 g de um mix de frutas desidratadas (abacaxi, maçã, mamão, banana, manga, damasco, uva-passa preta e branca, carambola)

MODO DE PREPARO

1. Coloque a água em uma chaleira. Leve ao fogo para ferver.
2. Acrescente o mix de frutas desidratadas, tampe a chaleira e deixe ferver por mais 15 minutos.
3. Coe e sirva quente ou frio.

RENDIMENTO: 3 porções (xícaras).

SUGESTÕES:

✓ Depois de pronto o chá, você também pode consumir as frutas cozidas – são deliciosas.

✓ Você pode fazer o mix em casa, com as frutas de sua preferência. Corte-as em fatias bem finas e leve ao forno para assar até que fiquem secas.

As frutas são ricas em antioxidantes que protegem nossas células.

INFORMAÇÃO NUTRICIONAL	TOTAL	PORÇÃO
CALORIAS (KCAL)	243	81
PROTEÍNA (G)	2,5	0,8
GORDURA TOTAL (G)	0,5	0,2
Saturada (g)	0	0
Monoinsaturada (g)	0,2	0,1
Poli-insaturada (g)	0,1	0
Ômega-6 (g)	0	0
Ômega-3 (g)	0	0
CARBOIDRATO (G)	64,1	21,4
Fibra (g)	7,8	2,6
MINERAIS		
Cálcio (mg)	38	12,7
Ferro (mg)	2,7	0,9
Magnésio (mg)	39	13
Fósforo (mg)	77	25,7
Potássio (mg)	796	265,3
Sódio (mg)	18	6
Zinco (mg)	0,5	0,2
Cobre (mg)	0,4	0,1
Manganês (mg)	0,2	0,1
Selênio (mcg)	0	0
VITAMINAS		
C (mg)	3,8	1,3
B_1 (mg)	0	0
B_2 (mg)	0,2	0,1
B_3 (mg)	1,9	0,6
B_5 (mg)	0,4	0,1
B_6 (mg)	0,2	0,1
B_9 (ácido fólico) (mcg)	4	1,3
E (mg)	0	0
K (mcg)	0	0
Colina (mg)	0	0
Betacaroteno (mcg)	0	0
Luteína e zeaxantina (mcg)	0	0

Camomila e calêndula

INGREDIENTES

4 xícaras (chá) de água (800 ml)
1 colher (sopa) de camomila (2 g)
2 colheres (sopa) de calêndula (4 g)

MODO DE PREPARO

1. Coloque a água em uma chaleira e leve ao fogo para ferver.
2. Acrescente a camomila e a calêndula e deixe ferver por 5 minutos.
3. Desligue o fogo e deixe descansar, tampado, por mais 5 minutos.
4. Coe e sirva a seguir.

RENDIMENTO: 3½ porções (xícaras).

A camomila e a calêndula são calmantes, antioxidantes e anti-inflamatórias.

INFORMAÇÃO NUTRICIONAL	TOTAL	PORÇÃO
CALORIAS (KCAL)	0	0
PROTEÍNA (G)	0	0
GORDURA TOTAL (G)	0	0
Saturada (g)	0	0
Monoinsaturada (g)	0	0
Poli-insaturada (g)	0	0
Ômega-6 (g)	0	0
Ômega-3 (g)	0	0
CARBOIDRATO (G)	0	0
Fibra (g)	0	0
MINERAIS		
Cálcio (mg)	0	0
Ferro (mg)	0	0
Magnésio (mg)	0	0
Fósforo (mg)	0	0
Potássio (mg)	0,2	0,1
Sódio (mg)	0	0
Zinco (mg)	0	0
Cobre (mg)	0	0
Manganês (mg)	0	0
Selênio (mcg)	0	0
VITAMINAS		
C (mg)	0	0
B_1 (mg)	0	0
B_2 (mg)	0	0
B_3 (mg)	0	0
B_5 (mg)	0	0
B_6 (mg)	0	0
B_9 (ácido fólico) (mcg)	0	0
E (mg)	0	0
K (mcg)	0	0
Colina (mg)	0	0
Betacaroteno (mcg)	0,2	0,1
Luteína e zeaxantina (mcg)	0	0

Bons sonhos

INGREDIENTES

4 xícaras (chá) de água (800 ml)
½ colher (sopa) de camomila (2 g)
1 colher (sopa) cheia de capim-limão (2 g)
1 colher (sopa) cheia de sementes de erva-doce (6 g)
1 colher (sopa) de melissa (2 g)

MODO DE PREPARO

1 Coloque a água em uma chaleira e leve ao fogo até começar a ferver.
2 Acrescente todas as ervas e deixe ferver por 5 minutos.
3 Desligue o fogo e mantenha a chaleira tampada por mais 5 minutos (infusão).
4 Coe e sirva em seguida.

RENDIMENTO: 3 porções (xícaras).

SUGESTÕES:
✓ Coloque as ervas em um saquinho ou coe o chá em uma peneira.
✓ Pode tomar este chá à noite, antes de dormir.

Esta receita é excelente para quem quer dormir e relaxar.

INFORMAÇÃO NUTRICIONAL	TOTAL	PORÇÃO
CALORIAS (KCAL)	22,7	7,6
PROTEÍNA (G)	1	0,3
GORDURA TOTAL (G)	0,9	0,3
Saturada (g)	0	0
Monoinsaturada (g)	0,6	0,2
Poli-insaturada (g)	0,1	0
Ômega-6 (g)	0	0
Ômega-3 (g)	0	0
CARBOIDRATO (G)	3,6	1,2
Fibra (g)	2,4	0,8
MINERAIS		
Cálcio (mg)	73,1	24,4
Ferro (mg)	1,3	0,4
Magnésio (mg)	24,3	8,1
Fósforo (mg)	31,2	10,4
Potássio (mg)	116,3	38,8
Sódio (mg)	5,4	1,8
Zinco (mg)	0,3	0,1
Cobre (mg)	0,1	0
Manganês (mg)	0,5	0,2
Selênio (mcg)	0	0
VITAMINAS		
C (mg)	1,3	0,4
B_1 (mg)	0	0
B_2 (mg)	0	0
B_3 (mg)	0,4	0,1
B_5 (mg)	0	0
B_6 (mg)	0	0
B_9 (ácido fólico) (mcg)	1,5	0,5
E (mg)	0	0
K (mcg)	0	0
Colina (mg)	0	0
Betacaroteno (mcg)	0,3	0,1
Luteína e zeaxantina (mcg)	0	0

Plano alimentar para 10 dias

Com este plano alimentar, qualquer pessoa pode seguir uma dieta vegetariana estrita por dez dias com as receitas do livro. Do ponto de vista nutricional, cada refeição deveria ser completamente diferente da outra no que diz respeito aos alimentos escolhidos. No entanto, isso é inviável para a grande maioria das pessoas, em especial nos grandes centros urbanos. Ninguém pode ficar o dia todo na cozinha preparando os alimentos na quantidade exata para que não sobre nada na travessa após a refeição. Foi essa visão realista que norteou a elaboração deste plano alimentar: repete-se o mesmo prato em refeições próximas, guardando-se o que sobra para o dia seguinte.

	PRIMEIRO DIA	SEGUNDO DIA	TERCEIRO DIA	QUARTO DIA	QUINTO DIA
CAFÉ DA MANHÃ	Shake de linhaça e Granola	Chapati (pão integral) e Patê de Tomate seco com tofu	Granola e Leite de castanhas-do-pará	Shake de banana verde e Pãezinhos de mandioquinha	Chapati (pão indiano) e Babaganuj
LANCHE	Suco verde	Barrinha de cereais	Suco de Abacaxi com rúcula	Flan de frutas	Suco de Atemoia com melão
ALMOÇO	Salada Waldorf especial com Molho de maionese vegano Risoto de legumes com castanhas	Salada Crudités com Molho de Tahine Yakisoba	Salada Elogio à tapioca com azeite de alho Grão-de-bico com abobrinha e cenoura	Salada Torre in natura com Molho de limão-siciliano Cuscuz	Salada de Aspargos verdes e ervilhas-tortas picantes Nhoque de aveia e batata
LANCHE	Shake de linhaça	Pãezinhos de mandioquinha e Chá de Frutas desidratadas	Chapati (pão indiano) e Patê de cogumelos com ervas	Barrinha de cereais	Shake de banana verde
JANTAR	Salada Crudités com Molho de manjericão Sopa de Milho verde com shimeji	Salada Waldorf especial com Molho de maionese vegano Panqueca verde	Salada Torre in natura com Molho de limão-siciliano Moqueca de banana	Salada Elogio à tapioca com azeite de alho Batata suíça	Salada Crudités com Molho de Gergelim com missô e azeite de oliva Sopa de Tomate com tofu
CEIA	Chá de Gengibre com erva-doce	Fruta	Chá de Camomila e calêndula	Fruta	Chá de Maracujá com especiarias

	SEXTO DIA	SÉTIMO DIA	OITAVO DIA	NONO DIA	DÉCIMO DIA
CAFÉ DA MANHÃ	Chapati (pão indiano) e Chutney de abacaxi	Suco de Quinoa com morangos e Granola	Leite de castanhas-do-pará e Brownie	Musse de abacate e Farofa de sementes	Suco de Manga com agrião e Granola
LANCHE	Flan de frutas	Barrinha de cereais	Suco de Atemoia com melão	Suco verde	Leite de castanhas-do-pará
ALMOÇO	Salada de Aspargos verdes e ervilhas-tortas picantes Estrogonofe de legumes	Salada Elogio à tapioca com azeite de alho Almôndega de nozes	Salada Waldorf especial com Molho de maionese vegano Feijoada de legumes com farofa de sementes	Salada Torre in natura com Molho de limão-siciliano Kofta de pepino com molho de coco	Salada Crudités com Molho de Tofu com shoyu Kitchari de lentilha com massala indiana
LANCHE	Brownie	Sorvete de banana verde	Musse de abacate e caldo de cana	Barrinha de cereais	Chapati (pão indiano) e Hambúrguer de grão-de-bico
JANTAR	Salada Elogio à tapioca com azeite de alho Torta de alho-poró	Salada de Aspargos verdes e ervilhas-tortas picantes Sopa de Brócolis	Salada Torre in natura com Molho de limão-siciliano Canoas de endívia com ervilha	Salada Waldorf especial com Molho de maionese vegano Minestrone	Salada Crudités com Molho de Acerola e linhaça Sopa de Mandioquinha com agrião e tomate
CEIA	Chá de Frutas desidratadas	Fruta	Chá Bons sonhos	Fruta	Chá de Camomila e calêndula